Orlando: uma biografia

VIRGINIA WOOLF

Orlando
uma biografia

TRADUÇÃO
JOSÉ RUBENS SIQUEIRA

ns

SÃO PAULO, 2023

Orlando: uma biografia
Orlando: a biography by Virginia Woolf
Copyright da tradução © 2021 by José Rubens Siqueira
Copyright © 2023 by Novo Século Editora Ltda.

EDITOR: Luiz Vasconcelos
GERENTE EDITORIAL: Letícia Teófilo
PRODUÇÃO EDITORIAL: Fernanda Felix
REVISÃO: Elisabete Franczak Branco
PROJETO GRÁFICO E DIAGRAMAÇÃO: João Paulo Putini
ILUSTRAÇÃO DE CAPA: Bruno Novelli
COMPOSIÇÃO DE CAPA: Lucas Luan Durães

Texto de acordo com as normas do Novo Acordo Ortográfico da Língua Portuguesa (1990), em vigor desde 1º de janeiro de 2009.

Dados Internacionais de Catalogação na Publicação (CIP)
(Câmara Brasileira do Livro, SP, Brasil)

Woolf, Virginia
    Orlando : uma biografia / Virginia Woolf ; tradução de José Rubens Siqueira. -- Barueri, SP : Novo Século Editora, 2022
    224 p.

ISBN 978-65-5561-506-7
Título original: Orlando: a biography

1. Ficção inglesa I. Título II. Siqueira, José Rubens

22-7075   CDD 823

Índice para catálogo sistemático:
1. Literatura inglesa

ns
Uma marca do Grupo Novo Século

Alameda Araguaia, 2190 – Bloco A – 11º andar – Conjunto 1111
CEP 06455-000 – Alphaville Industrial, Barueri – SP – Brasil
Tel.: (11) 3699-7107 | Fax: (11) 3699-7323
www.gruponovoseculo.com.br | atendimento@gruponovoseculo.com.br

para V. Sackville West

Prefácio

Muitos amigos me ajudaram a escrever este livro. Alguns já morreram e são tão ilustres que mal ouso citar seus nomes, no entanto, ninguém pode ler ou escrever sem ser eternamente devedor de Defoe, sir Thomas Browne, Sterne, sir Walter Scott, lorde Macaulay, Emily Brontë, De Quincey e Walter Pater, para citar apenas os primeiros que vêm à mente. Outros, talvez tão ilustres à sua própria maneira, ainda estão vivos e são menos notáveis por essa mesma razão. Sou especialmente devedora ao sr. C. P. Sanger, sem cujo conhecimento da lei de propriedade real este livro jamais teria sido escrito. Espero que a vasta e peculiar erudição do sr. Sydney-Turner tenha me poupado de alguns erros lamentáveis. Tive a vantagem, tão imensa que só eu mesma posso avaliar, dos conhecimentos da língua chinesa do sr. Arthur Waley. Madame Lopokova (sra. J. M. Keynes) esteve sempre disponível para corrigir meu russo. À fraternidade e imaginação do sr. Roger Fry eu devo o conhecimento da arte da pintura que eu possa ter. Em outro departamento, espero ter aproveitado a crítica penetrante, mesmo que severa, de meu sobrinho, sr. Julian Bell. A incansável pesquisa da srta. M. K. Snowdon nos arquivos de Harrogate e Cheltenham esteve longe de dispensável. Outros amigos me ajudaram de formas variadas demais para enumerar. Devo me contentar citando o sr. Angus Davidson; a sra. Cartwright; a srta. Janet Case; lorde Berners (cujo conhecimento de música elizabetana foi inestimável); a sra. Francis Birrell; meu irmão, dr. Adrian Stephen; o sr. F. L. Lucas; sr. e sra. Desmond MacCarthy; o mais inspirador dos críticos, meu cunhado, sr. Clive Bell; o sr. G. H. Rylands; lady Colefax; srta. Nellie Boxall, sr. J. M. Keynes; sr. Hugh Walpole; srta. Violet Dickinson; o honorável Edward Sackville-West; sr. e sra. St. John Hutchinson; sr. Duncan Grant; sr. e sra. Stephen Tomlin; sr. e lady Ottoline Morrell; minha sogra, sra. Sydney Woolf; sr. Osbert Sitwell; madame Jacques Raverat; coronel Cory Bell; srta. Valerie Taylor; sr. J. T. Sheppard; sr. e sra. T. S. Eliot; srta. Ethel Sands; srta. Nan Hudson; meu sobrinho, sr. Quentin Bell (um antigo e valioso colaborador em ficção); sr. Raymond Mortimer; lady Gerald Wellesley; sr. Lytton Strachey; a viscondessa Cecil; srta. Hope Mirrlees; sr. E. M. Forster; o honorável Harold Nicolson; e minha irmã, Vanessa Bell – mas a lista ameaça crescer muito e já está bastante notável. Embora desperte em mim lembranças das mais agradáveis, inevitavelmente levantará no leitor expectativas que o próprio livro só pode decepcionar. Portanto, concluirei agradecendo aos funcionários do Museu Britânico e Record Office, por sua cortesia habitual; à minha sobrinha, srta. Angelica Bell, por um serviço que ninguém além dela poderia ter prestado; e ao meu marido, pela paciência com que invariavelmente tem ajudado minhas pesquisas e pelo profundo conhecimento histórico a que estas páginas tudo devem pelo grau de precisão que possam atingir. Finalmente, eu agradeceria, se não tivesse perdido seu nome e endereço, a um cavalheiro nos Estados Unidos, que generosa e gratuitamente corrigiu a pontuação, a botânica, a entomologia, a geografia e a cronologia de trabalhos anteriores meus e, espero, não poupará seus serviços na presente ocasião.

1

Ele, pois que não havia dúvida quanto a seu sexo, embora a moda da época fizesse algo para disfarçar, estava ocupado a fatiar a cabeça de um mouro pendurada das vigas. Era da cor de uma bola de futebol velha e mais ou menos da mesma forma, a não ser pelas faces encovadas e uma ou duas mechas de cabelo áspero, seco, como os pelos de um coco. O pai de Orlando, ou talvez seu avô, a tinha arrancado dos ombros de um vasto pagão que vivera sob a lua dos campos bárbaros da África; e que agora oscilava, delicada e perpetuamente, na brisa que nunca parava de soprar nas salas da gigantesca casa do lorde que o tinha matado.

Os antepassados de Orlando tinham cavalgado por campos de asfódelo, por campos pedregosos e por campos banhados por rios estranhos, tinham cortado muitas cabeças de muitas cores de muitos ombros, e as traziam de volta para pendurar nas vigas. Coisa que Orlando também faria, ele jurava. Mas, como tinha apenas dezesseis anos e era jovem demais para cavalgar com eles na África ou na França, ele escapava da mãe e dos pavões do jardim para subir até sua sala no sótão e lá atacar, arremeter e fatiar o ar com sua espada. Às vezes, cortava a corda de forma que o crânio caía no chão com ruído e ele tinha de pendurá-lo de novo e amarrar com algum cavalheirismo quase fora do alcance de forma que o inimigo ria para ele, triunfante, com lábios negros, repuxados. O crânio balançava para a frente e para trás, pois a casa em cujo topo ele morava era tão vasta que parecia prender nela o próprio vento, que soprava para cá, soprava para lá, inverno e verão. O tapete verde com caçadores perpetuamente em movimento. Seus antepassados tinham sido nobres desde que existiam. Vieram das brumas do norte com diademas na cabeça. Não eram as barras de escuro na sala, e as poças amarelas que quadriculavam o chão, produzidas pelo sol que entrava pelo vitral de um vasto brasão na janela? Orlando estava no centro do corpo amarelo de um leopardo heráldico. Quando pôs a mão no parapeito para empurrar a janela, ficou instantaneamente colorido de vermelho, azul e amarelo como a asa de uma borboleta. Assim, quem gosta de símbolos, e tem a tendência de decifrá-los, poderia observar que, embora as pernas bem torneadas, o corpo bonito e os ombros bem definidos estivessem todos decorados com vários tons de luz heráldica, o rosto de Orlando, ao abrir a janela, estava iluminado apenas pelo sol em si. Impossível encontrar um rosto mais cândido e sério. Feliz a mãe que dá à luz, mais feliz ainda a biógrafa que registra a vida de tal pessoa! Ela precisa nunca se irritar, nem invocar a ajuda de um romancista ou poeta. De ação em ação, de glória em glória, de posto em posto, ela tem de seguir, sua escriba logo atrás dele, até alcançarem algum ponto que seja o ápice do desejo deles. À primeira vista, Orlando era talhado precisamente para uma tal carreira. O vermelho das faces coberto com uma penugem de pêssego; a penugem acima dos lábios apenas um pouco mais espessa que a penugem das faces. Os lábios eram curtos e ligeiramente afastados de dentes de uma delicada brancura de amêndoa. Nada perturbava o nariz em flecha no seu breve e tenso voo; o cabelo escuro, as orelhas pequenas e coladas à cabeça. Mas, ah!, esse catálogo de beleza juvenil não pode terminar sem que se mencione a testa e os olhos. Ora, as pessoas raramente nascem desprovidas desses três; ao se olhar diretamente para Orlando parado junto à janela, temos de admitir que ele tinha olhos como violetas encharcadas, tão grandes que a água parecia transbordar deles e ampliá-los; e a testa, como o volume de uma cúpula de mármore pressionada entre os dois medalhões em branco que eram suas têmporas. Ao olhar assim diretamente os olhos e a testa, nos arrebatamos. Ao olhar diretamente os olhos e a testa, temos que admitir mil enfados que todo bom biógrafo tem como objetivo ignorar. Ele se perturbava com o que via, tal como sua mãe, uma senhora muito bonita de verde, a caminho de alimentar os pavões com Twitchett, a criada, logo atrás; exaltava-se com o que via: os pássaros e as árvores; e o faziam se apaixonar pela morte: o céu noturno, as gralhas que voltam para casa; e assim, subindo a escada em espiral de seu cérebro, que era espaçoso, tudo o que via e os sons do jardim, o bater do martelo e o corte da madeira davam início àquele tumulto e à confusão de paixões e emoções que todo bom biógrafo detesta. Mas continuando: Orlando recuou devagar a cabeça, sentou-se à mesa e, com o ar semiconsciente de quem faz o que faz todos os dias da vida a essa hora, pegou um caderno rotulado com o título *Aethelbert: tragédia em cinco atos*, e mergulhou na tinta uma velha pena de ganso.

Logo havia preenchido com poesia dez páginas ou mais. Era fluente, evidentemente, mas abstrato. Vício, Crime, Desgraça eram os personagens de seu drama; havia reis e rainhas de territórios impossíveis; tramas horrendas os confundiam; sentimentos nobres os penetravam; nunca uma palavra dita, como ele próprio diria, mas tudo expresso com uma fluência e doçura que, considerando sua idade (ainda não tinha dezessete anos) e que o século XVI tinha ainda alguns anos a percorrer, eram bastante notáveis. Por fim, no entanto, ele chegou a uma parada. Estava descrevendo, como todos os jovens poetas eternamente descrevem, a natureza, e para obter o tom de verde exato ele olhou (e aqui ele se revelou mais audaz que a maioria) para a coisa em si, que era um loureiro que crescia debaixo da janela. Depois disso, claro, não podia escrever mais. Verde na natureza é uma coisa, verde na literatura é outra. A natureza e as letras parecem ter uma antipatia natural; junte as duas e elas se despedaçam. O tom de verde que Orlando viu estragou sua rima e rompeu sua métrica. Além disso, a natureza tem seus próprios truques. Basta olhar pela janela as abelhas entre as flores, um cachorro bocejando, o pôr do sol, basta pensar "quantos sóis mais verei se porem" etc. etc. (o pensamento é muito comum para valer uma descrição) e deixa-se cair a caneta, pega-se a capa, sai-se a passos largos da sala e se tropeça num baú pintado. Porque Orlando era um pouco desajeitado.

Teve o cuidado de não encontrar ninguém. Lá estava Stubbs, o jardineiro, que vinha pelo caminho. Escondeu-se atrás de uma árvore até ele passar. Saiu por um portãozinho no muro do jardim. Contornou os estábulos, canis, cervejarias, carpintarias, lavanderias, locais onde fabricam velas de sebo, matam bois, forjam ferraduras, costuram coletes, pois a casa era uma cidade cheia de homens trabalhando em seus vários ofícios, e seguiu sem ser visto pelo caminho de samambaias que levava morro acima através do parque. Talvez haja um parentesco entre qualidades; uma atrai a outra; e neste ponto o biógrafo deve chamar a atenção para o fato de que essa falta de jeito quase sempre está associada ao amor pela solidão. Orlando tropeçava em baús e naturalmente amava lugares solitários, panoramas vastos e sentir a si mesmo para todo o sempre, sempre e sempre sozinho.

Então, depois de um longo silêncio – "Estou sozinho" –, ele respirou por fim, abrindo os lábios pela primeira vez nesta narrativa. Tinha subido muito depressa através de samambaias e espinheiros, assustara cervos e pássaros silvestres, até um local coroado por um único carvalho. Ficava muito no alto, tão alto que dava para ver dezenove condados ingleses abaixo dele; e em dias claros trinta ou talvez quarenta, se o tempo estivesse muito bom. Às vezes, dava para ver o canal da Mancha, ondas reiterando ondas. Dava para ver rios e barcos de recreio deslizando nelas; galeões partindo para o mar; armadas com bafordas de fumaça de onde vinha o baque surdo de disparos de canhão; fortes na costa; castelos entre os prados; aqui uma torre de vigia; ali uma fortaleza; e também alguma vasta mansão como a do pai de Orlando, maciça como uma cidade no vale, cercada por muralhas. A leste ficavam as torres de Londres e a fumaça da cidade; talvez na linha do céu, quando o vento soprava do lado certo, o topo escarpado e as bordas serrilhadas da própria Snowdon elevavam-se entre as nuvens. Por um momento Orlando ficou contando, olhando, reconhecendo. Aquela era a casa de seu pai; aquela a de seu tio. Sua tia era dona daquelas três grandes torres entre as árvores. A charneca era deles e a floresta; o faisão e o cervo, a raposa, o texugo, a borboleta.

Ele deu um suspiro profundo e jogou-se (havia em seus movimentos uma tal paixão que merece a palavra) na terra ao pé do carvalho. Ele adorava sentir, por baixo de toda essa transitoriedade do verão, a espinha abaixo dele; porque era isso que achava ser a dura raiz do carvalho; ou, como imagem chama imagem, eram as costas de um grande cavalo em que estava montado, ou o convés de um navio que adernava, qualquer coisa, de fato, contanto que fosse dura, pois sentia a necessidade de algo a que pudesse prender seu coração flutuante; o coração que pulsava em seu peito; o coração que parecia cheio dos ventos perfumados e amorosos de todas as tardes a essa hora, quando ele saía. Ao carvalho ele o amarrou e ali deitado, gradualmente a vibração dentro e em torno dele se acalmou; as pequenas folhas pendiam, o cervo parou; as nuvens pálidas de verão se detiveram; seus membros pesaram no chão; e ele ficou tão imóvel que aos poucos o cervo se aproximou, as gralhas giraram em torno dele e as andorinhas mergulharam, circularam, as libélulas passaram voando, como se toda a fertilidade e a atividade amorosa de um entardecer de verão se urdissem como uma teia sobre seu corpo.

Depois de quase uma hora, o sol se punha depressa, e as nuvens brancas ficavam vermelhas; as colinas, violeta; a floresta, roxa; os vales, negros. Então soou uma trombeta. Orlando se pôs de pé num salto. O som estridente vinha do vale. Vinha de uma mancha escura lá embaixo; um ponto compacto, como um mapa; um labirinto; uma cidade, mas cingida de muralhas; vinha do coração de sua própria mansão no vale, que, antes escuro, assim que ele olhou e a trombeta única se duplicou e reduplicou com outros sons mais estridentes, perdeu a escuridão e ficou perfurada por luzes. Algumas eram pequenas luzes apressadas, como se os criados corressem pelos corredores para atender chamados; outras eram luzes altas e brilhantes, como se queimassem em salas de banquete vazias, prontas para receber convidados que não vieram; e outras mergulhavam, acenavam, afundavam, se erguiam, como se estivessem nas mãos de tropas de criados, que se curvavam, ajoelhavam, levantavam, recebiam, guardavam e escoltavam com toda dignidade para dentro de casa uma grande princesa que descia de sua carruagem. Coches viravam e rodavam no pátio. Cavalos balançavam suas plumagens. A rainha havia chegado.

Orlando não olhou mais. Ele disparou morro abaixo. Passou pelo portãozinho. Subiu correndo a escada em caracol. Chegou ao seu quarto. Jogou as meias para um lado, o gibão para outro. Molhou a cabeça. Esfregou as mãos. Aparou as unhas. Em menos de dez minutos pelo estável relógio, sem mais do que quinze centímetros de espelho e velas com dias de uso, vestiu calções carmesim, gola de renda, colete de tafetá e sapatos com rosetas do tamanho de dálias dobradas. Estava pronto. Estava corado. Estava animado, mas tremendamente atrasado.

Por atalhos que conhecia, seguiu pela vastidão de salas e escadas até o salão de banquetes, a cinco acres de distância, do outro lado da casa. Mas no meio do caminho, nos fundos, onde moravam os criados, ele parou. A porta da sala da sra. Stewkley estava aberta, ela saíra, sem dúvida, com todas as suas chaves para atender sua senhora. Mas ali, sentado à mesa de jantar dos criados com uma caneca ao lado e um papel à frente, estava um homem desleixado, bastante gordo, com a gola de rufo um tanto suja, e cujas roupas eram de um marrom encardido. Segurava na mão uma pena, mas não estava escrevendo. Parecia ocupado em rolar algum pensamento para cima e para baixo, para a frente e para trás em sua cabeça até que ganhasse a forma ou o impulso que o satisfizesse. Seus olhos, saltados e enevoados como uma pedra verde de textura estranha, estavam fixos. Ele não viu Orlando. Apesar de toda a pressa, Orlando parou. Seria um poeta? Estaria escrevendo poesia? "Me conte", ele queria dizer, "tudo do mundo inteiro", pois tinha as ideias mais loucas, mais absurdas e extravagantes sobre poetas e poesia, mas como falar com um homem que não te vê? Que vê ogros, sátiros, talvez as profundezas do mar? Orlando ficou olhando enquanto o homem girava a pena entre os dedos, para cá e para lá: o olhar vago, ele meditava; e então, muito rapidamente, escreveu meia dúzia de linhas e ergueu os olhos. Diante disso, Orlando, dominado pela timidez, disparou e chegou ao salão de banquetes bem a tempo de cair de joelhos e, com a cabeça baixa em confusão, oferecer uma tigela de água de rosas para a grande rainha.

Tamanha era sua timidez que não via mais do que as mãos dela com anéis dentro da água; mas era o que bastava. Era uma mão memorável; fina, com dedos longos, sempre curvados como se em torno de uma esfera ou cetro; uma mão nervosa, ranzinza, doentia; uma mão dominante também; uma mão que só precisava se erguer para uma cabeça cair; uma mão, ele adivinhou, presa a um velho corpo que cheirava a armário no qual as peles ficam guardadas com cânfora; corpo ataviado ainda em todo tipo de brocado e gemas; e que se mantinha muito ereto, embora talvez pela dor no ciático; e que não vacilava nunca, mesmo tomado por mil medos; e os olhos da rainha eram amarelo-claros. Tudo isso ele sentiu enquanto os grandes anéis rebrilhavam na água e então algo tocou seu cabelo, o que talvez explique ele não ver nada mais provavelmente útil para um historiador. E, na verdade, sua mente era uma tal confusão de opostos: a noite e as velas acesas, o pobre poeta e a grande rainha, os campos silenciosos e o barulho dos criados, que ele não conseguia ver nada; ou apenas uma mão. Da mesma forma, a própria rainha pode ter visto apenas uma cabeça. Mas se é possível a partir de uma mão deduzir um corpo, informado com todos os atributos de uma grande rainha, sua rispidez, coragem, fragilidade e terror, certamente uma cabeça pode ser tão fértil, vista do alto de um trono por uma senhora cujos olhos estavam sempre bem abertos, se merecem crédito as figuras de cera da Abadia. O cabelo longo e encaracolado, a cabeça morena curvada tão reverentemente, tão inocentemente diante dela, sugeriam um par das melhores pernas sobre as quais um jovem nobre já caminhou; os olhos violeta; um coração de ouro; a lealdade e o charme viril, todas as qualidades que a mulher idosa mais amava e mais a decepcionavam. Porque ela estava envelhecendo, desgastada, curvada antes do tempo. O som do canhão estava sempre em seus ouvidos. Ela via sempre a gota brilhante do veneno e a longa adaga. Ao sentar-se à mesa, ela escutava; ouvia as armas no Canal; ela tinha medo: aquilo era uma maldição, era um sussurro? Inocência, simplicidade, eram ainda mais queridos a ela por causa do fundo escuro contra o qual ela as colocava. E foi nessa mesma noite, reza a tradição, enquanto Orlando dormia profundamente, que ela presenteou o pai de Orlando, formalmente, com sua assinatura e o selo finalmente postos no pergaminho, com a grande casa monástica que tinha sido do arcebispo e depois do rei.

Orlando dormiu toda a noite sem saber. Foi beijado por uma rainha sem saber. E talvez, porque o coração das mulheres é intrincado, a ignorância e o sobressalto dele quando os lábios dela o tocaram mantiveram à lembrança do jovem primo (pois tinham sangue em comum) fresco em sua memória. De qualquer forma, nem dois anos desta vida tranquila no campo se passaram, e Orlando tinha escrito talvez não mais do que vinte tragédias, uma dúzia de histórias e muitos sonetos quando chegou a mensagem de que ele devia comparecer perante a rainha em Whitehall.

– Ali – disse ela, ao vê-lo avançar pela longa galeria em sua direção – vem meu inocente! – (Havia nele, sempre, uma serenidade que parecia um ar de inocência quando, na realidade, a palavra não era mais aplicável.)

– Venha! – disse ela. Estava sentada muito ereta ao lado da lareira. E ela o deteve à distância de um passo e olhou-o de cima a baixo. Estaria comparando suas especulações da outra noite com a verdade agora visível? Considerava justificadas suas suposições? Olhos, boca, nariz, peito, quadril, mãos, ela passou por tudo; seus lábios se contraíram visivelmente enquanto olhava; mas, quando viu as pernas dele, ela riu alto. Ele era a própria imagem de um nobre cavalheiro. Mas internamente? Faiscou os olhos amarelos de falcão sobre ele como se fosse perfurar sua alma. O jovem sustentou o olhar, corando apenas com um rosa de damasco, como lhe era adequado. Força, graça, romance, loucura, poesia, juventude, ela o leu como a página de um livro. No mesmo instante, tirou um anel do dedo (a junta estava bem inchada) e, ao colocá-lo no dele, nomeou-o seu tesoureiro e administrador; em seguida, pôs sobre ele as correntes do posto; mandou que dobrasse o joelho e nele atou a parte mais fina das joias da ordem da jarreteira. Depois disso, nada lhe foi negado. Quando ela saía em missão oficial, ele seguia a cavalo junto à porta da carruagem. Ela o mandou à Escócia em uma triste embaixada à infeliz rainha. Ele estava prestes a navegar para as guerras polonesas quando ela se lembrou dele. Pois como ela poderia tolerar a ideia daquela carne tenra rasgada, daquela cabeça encaracolada rolar no pó? Ela o manteve com ela. No auge de seu triunfo, quando as armas estavam explodindo na Torre, o ar denso de pólvora a ponto de provocar espirros e os hurras do povo soavam abaixo das janelas, ela o puxou para as almofadas onde as mulheres a colocaram (tão desgastada e velha estava ela) e fez com que ele enterrasse o rosto naquela composição surpreendente (não trocava de vestido havia um mês) que cheirava exatamente, pensou ele, como uma lembrança da infância, como um armário antigo em casa onde as peles de sua mãe ficavam guardadas. Ele se levantou, meio sufocado pelo abraço. "Esta é a minha vitória!", ela sussurrou, no momento em que um foguete subiu a rugir, e tingiu suas faces de escarlate. Porque a mulher velha o amava. E a rainha, que sabia o que era um homem quando via um, embora, diziam, não da maneira usual, planejava para ele uma carreira esplêndida, ambiciosa. Deu-lhe terras, casas foram a ele destinadas. Ele seria o filho de sua velhice; o membro de sua enfermidade; o carvalho no qual ela apoiava seu declínio. Ela resmungou essas promessas e estranhas ternuras dominadoras (estavam agora em Richmond) sentada ereta em seus brocados rígidos, junto ao fogo que, por mais alto que fosse, nunca a aquecia.

Nesse meio-tempo, os longos meses de inverno se aproximavam. Cada árvore do parque debruada com gelo. O rio corria lento. Um dia, quando a neve estava no chão, as salas com painéis escuros cheias de sombras, os cervos bramindo no parque, ela viu pelo espelho, que guardava sempre consigo por medo de espiões, através da porta, que mantinha sempre aberta por medo de assassinos, ela viu um rapaz... podia ser Orlando? ... beijando uma moça. Quem em nome do diabo seria a vadia descarada? Brandiu sua espada de punho dourado violentamente contra o espelho. O vidro quebrou; pessoas vieram correndo; a ergueram e colocaram de volta na poltrona; mas ela ficou abalada depois disso e, à medida que seus dias iam chegando ao fim, reclamava muito da traição do homem.

Talvez Orlando estivesse errado; mas, afinal, pode-se culpar Orlando? Corria a era elisabetana; sua moral não era a nossa; nem os poetas; nem o clima; nem mesmo os vegetais. Era tudo diferente. O próprio clima, o calor e o frio do verão e do inverno eram, pode-se acreditar, completamente diferentes. O claro dia amoroso era tão separado da noite como a terra da água. O pôr do sol era mais vermelho e mais intenso; os amanheceres mais brancos e auroreais. Nada sabiam da nossa crepuscular meia-luz e dos entardeceres prolongados. A chuva caía com veemência, ou não caía. O sol brilhava ou havia escuridão. Traduzindo isso para as regiões espirituais, como é costume deles, os poetas cantavam lindamente que as rosas murcham e as pétalas caem. Breve é o momento, cantavam; o momento passou; uma longa noite todos dormirão. Usar os artifícios da estufa ou conservatório para prolongar ou preservar esses frescos cravos e rosas, não era como agiam. As murchas complexidades e ambiguidades de nossa era mais gradual e incerta lhes eram desconhecidas. Tudo era violento. A flor desabrochava e morria. O sol nascia e se punha. O amante amava e ia embora. E o que os poetas diziam em rimas, os jovens traduziam em prática. As moças eram rosas, e suas estações, curtas como as das flores. Tinham de ser colhidas antes do anoitecer; porque o dia era breve e o dia era tudo.

Portanto, se Orlando seguiu a orientação do clima, dos poetas, da própria época, e colheu sua flor no banco da janela, mesmo com a neve no chão e a rainha vigilante no corredor, dificilmente podemos culpá-lo. Era jovem; era imaturo; e fez apenas o que a natureza ordenou. Quanto à moça, não sabemos seu nome mais do que a própria rainha Elizabeth sabia. Podia ser Doris, Chloris, Delia ou Diana, porque ele fez versos para todos esses nomes; da mesma forma, podia ter sido uma dama da corte, ou alguma criada. Pois o gosto de Orlando era abrangente; não era amante de flores de jardim apenas; as silvestres e até daninhas sempre o fascinavam.

Aqui, na verdade, desnudamos rudemente, como pode um biógrafo, um traço curioso dele, devido, talvez, ao fato de uma certa avó sua usar avental e carregar baldes de leite. Alguns grãos de terra de Kentish ou Sussex misturavam-se ao fluido fino e delicado que lhe vinha da Normandia. Ele afirmava que a mistura de terra marrom e sangue azul era boa. Certo é que sempre gostou de companhias baixas, principalmente pessoas letradas cuja inteligência tantas vezes as mantém abaixo, como se houvesse uma identidade de sangue entre eles. Nesse período de sua vida, quando a cabeça transbordava de rimas e ele nunca ia para a cama sem formular alguma ideia, o rosto da filha de um estalajadeiro parecia mais estimulante e o humor da sobrinha de um guarda--caça mais afiado do que os das damas da Corte. Por isso, ele começou a ir com frequência ao Wapping Old Stairs e às cervejarias ao ar livre à noite, embrulhado em uma capa cinza para esconder a estrela em seu pescoço e a liga em seu joelho. Lá, com uma caneca à frente, entre as vielas de areia, campos de boliche e toda a arquitetura simples desses lugares, ele ouvia dos marinheiros histórias de sofrimento, horror e crueldade no Caribe; como alguns haviam perdido os dedos dos pés, outros o nariz, porque a história oral nunca era tão redonda ou tão finamente colorida quanto a escrita. Ele adorava sobretudo ouvi-los soltar suas canções dos Açores, enquanto papagaios, que tinham trazido daquelas partes, bicavam os brincos em suas orelhas, batiam os duros bicos ávidos nos rubis em seus dedos, e xingavam tão torpemente quanto seus donos. As mulheres não eram menos ousadas em suas palavras ou menos livres em suas maneiras do que essas aves. Elas se empoleiravam nos joelhos deles, jogavam os braços em volta de seus pescoços e, adivinhando que algo fora do comum estava escondido debaixo das capas de lona, ficavam tão ansiosas para descobrir a verdade quanto o próprio Orlando.

Tampouco faltava oportunidade. O rio sempre agitado, cedo e tarde, com barcaças, balsas e embarcações de toda ordem. Todos os dias partia para o mar algum belo navio com destino às Índias; de vez em quando outro, enegrecido e esfarrapado, com homens barbudos a bordo arrastava-se dolorosamente para ancorar. Ninguém sentia falta de um rapaz ou de uma moça se demoravam um pouco na água depois do pôr do sol; ou erguia uma sobrancelha se a indiscrição os tivesse visto dormindo profundamente em meio ao tesouro dos sacos, seguros nos braços um do outro. De fato, foi essa a aventura que coube a Orlando, Sukey e ao conde de Cumberland. O dia estava quente; seus amores tinham estado ativos; eles haviam adormecido entre os rubis. Tarde nessa noite, o conde, cuja fortuna estava muito ligada aos empreendimentos espanhóis, foi sozinho conferir o saque com um lampião. Ele passou a luz por um barril. Deu um pulo para trás com um palavrão. Enrolados em torno do barril, dois espíritos dormiam. Supersticioso por natureza, a consciência pesada por muitos crimes, o conde tomou o casal, envolto numa capa vermelha, o peito de Sukey quase tão branco quanto as neves eternas dos poemas de Orlando, por fantasmas saídos das sepulturas de marinheiros afogados para repreendê-lo. Ele se benzeu. Jurou arrepender-se. A fila de asilos ainda de pé na Sheen Road são o fruto visível desse pânico momentâneo. Doze pobres idosas da paróquia hoje tomam chá e à noite abençoam sua senhoria por terem um teto acima de suas cabeças; de modo que amor ilícito em um navio de tesouro... mas omitimos a moral.

Logo, porém, Orlando se cansou, não só do desconforto desse estilo de vida, e das ruas tortuosas do bairro, mas também dos modos primitivos das gentes. Porque é preciso lembrar que o crime e a pobreza não tinham para os elisabetanos nada da atração que têm para nós. Eles não tinham nada como a nossa vergonha moderna do aprendizado com livros; nada de nossa convicção de que nascer filho de açougueiro é uma bênção, e não saber ler, uma virtude; nenhuma fantasia de que o que chamamos de "vida" e "realidade" estão de alguma forma ligados à ignorância e à brutalidade; nem, de fato, qualquer equivalente para essas duas palavras. Orlando não foi até eles em busca de "vida"; nem os deixou em busca de "realidade". Mas, depois de ouvir muitas vezes como Jakes tinha perdido o nariz e Sukey, sua honra, e é forçoso admitir que eles contavam as histórias de forma admirável, ele começou a ficar um pouco cansado com a repetição, porque um nariz só pode ser cortado de um jeito e a virgindade perdida de outro, ou assim lhe parecia, enquanto as artes e as ciências tinham uma diversidade que despertava profundamente sua curiosidade. Então, conservando-os sempre como uma lembrança feliz, ele deixou de frequentar as cervejarias e as pistas de boliche, pendurou a capa cinza no guarda-roupa, deixou a estrela brilhar em seu pescoço e a liga cintilar em seu joelho, e apareceu mais uma vez na corte do rei James. Ele era jovem, era rico, era bonito. Ninguém poderia ter sido recebido com maior aclamação do que ele. É mesmo certo que muitas damas estavam dispostas a demonstrar a ele seus favores. Os nomes de pelo menos três foram livremente associados ao dele em casamento, Clorinda, Favilla, Euphrosyne, ele assim os mencionou em seus sonetos.

 Conferidos em ordem: Clorinda era uma dama gentil de maneiras doces; de fato, Orlando ficou muito encantado com ela por seis meses e meio; mas tinha cílios brancos e não suportava ver sangue. Uma lebre assada servida na mesa de seu pai a fazia desmaiar. Era também muito influenciada pelos sacerdotes e restringia sua roupa de baixo a fim de dar aos pobres. Ela assumiu o encargo de reformar Orlando de seus pecados, que o adoeciam, de modo que ele desistiu do casamento, e não lamentou muito quando ela morreu de varíola logo depois.

 Favilla, que vem em seguida, era de um tipo totalmente diferente. Filha de um cavalheiro pobre de Somersetshire; a qual, por pura assiduidade e pelo uso dos olhos tinha aberto caminho para a corte, onde sua habilidade na equitação, o belo peito do pé e a graça na dança conquistaram o admiração de todos. Uma vez, porém, ela teve a imprudência de chicotear até um centímetro da morte um spaniel que rasgara uma de suas meias de seda (e, justiça seja feita, Favilla tinha poucas meias, a maioria delas de tecido grosseiro) debaixo da janela de Orlando. Orlando, que tinha paixão por animais, percebeu então que seus dentes eram tortos, os dois frontais voltados para dentro, o que, disse ele, é sinal inegável de disposição perversa e cruel numa mulher, e assim rompeu o noivado naquela mesma noite, para sempre.

 A terceira, Euphrosyne, foi, de longe, o mais sério de seus ardores. Era, por nascimento, uma Desmond irlandesa e, portanto, tinha uma árvore genealógica tão antiga e profundamente enraizada quanto a de Orlando. Ela era clara, rosada e um pouquinho fleumática. Falava bem italiano, tinha na mandíbula superior um conjunto perfeito de dentes, embora os inferiores fossem ligeiramente descoloridos. Nunca ficava sem um cão whippet ou spaniel no colo; alimentava-os com pão branco do próprio prato; cantava docemente à espineta; e nunca estava vestida antes do meio-dia, devido ao extremo cuidado que tinha com sua pessoa. Em resumo, teria sido uma esposa perfeita para um nobre como Orlando, e as coisas tinham ido tão longe que os advogados de ambos os lados estavam ocupados com convênios, articulações, acordos, galpões, dormitórios e todo o necessário para uma grande fortuna desposar outra quando, com a brusquidão e severidade que caracterizavam o clima inglês na época, veio a Grande Geada.

A Grande Geada foi, dizem os historiadores, a mais severa que jamais ocorreu nessas ilhas. Os pássaros congelavam no ar e caíam no chão como pedras. Em Norwich, uma jovem camponesa começou a atravessar a estrada com sua robusta saúde habitual e, diante de testemunhas, transformou-se visivelmente em pó e foi soprada como uma nuvem de poeira sobre os telhados quando o ar gelado a atingiu na esquina da estrada. A mortalidade entre ovinos e bovinos foi enorme. Os cadáveres congelavam e não podiam ser retirados dos lençóis. Não era incomum encontrar toda uma manada de porcos congelados, imóveis sobre a estrada. Os campos estavam cheios de pastores, lavradores, tropas de cavalos e garotinhos que espantavam pássaros, todos imobilizados por completo num segundo, um com a mão no nariz, outro com a garrafa nos lábios, um terceiro com uma pedra erguida para atirar nos corvos pousados, como se estivessem empalhados, sobre a cerca a um metro dele. A gravidade da geada foi tão extraordinária que às vezes ocorria uma espécie de petrificação; e todos supunham que o grande aumento de pedras em algumas partes de Derbyshire não ocorreu devido a nenhuma erupção, pois não houve nenhuma, mas à solidificação de caminhantes infelizes, literalmente transformados em pedra onde estavam. A Igreja pouco podia ajudar nessa questão, e, embora alguns proprietários tenham mandado abençoar essas relíquias, a maior parte preferia usá-las como pontos de referência, postes para ovelhas se coçarem, ou, quando a forma da pedra permitia, bebedouros para o gado, propósitos aos quais, em sua maioria, servem ainda, admiravelmente, até hoje.

Mas, enquanto o povo do campo sofria extrema necessidade e o comércio do país estava paralisado, Londres desfrutava de um carnaval de brilho absoluto. A corte estava em Greenwich, e o novo rei aproveitou a oportunidade que a coroação lhe deu para conquistar a simpatia dos cidadãos. Ele ordenou que o rio, congelado até uma profundidade de seis metros ou mais e por uns nove ou dez quilômetros para cada lado, fosse varrido, decorado até ficar com toda a aparência de um parque ou feira de diversões, com pérgolas, labirintos, alamedas, barracas de bebida etc., tudo por sua conta. Para ele e os cortesãos, foi reservado um certo espaço imediatamente em frente aos portões do palácio; que, separado do público apenas por uma corda de seda, tornou-se imediatamente o centro da mais brilhante sociedade na Inglaterra. Grandes estadistas, com suas barbas e rufos, despachavam assuntos de estado sob o toldo carmesim do Pagode Real. Soldados planejavam a conquista dos mouros e a queda dos turcos em tendas listradas encimadas por plumas de avestruz. Almirantes subiam e desciam os caminhos estreitos, copo na mão, varrendo o horizonte e contando histórias da passagem noroeste e da Armada Espanhola. Amantes namoravam em divãs cobertos com zibelina. Rosas congeladas caíam em chuva quando a rainha e suas damas saíam. Balões coloridos pairavam imóveis no ar. Aqui e ali queimavam grandes fogueiras de cedro e madeira de carvalho, abundantemente salgada, de modo que as chamas eram verdes, alaranjadas e roxas. Mas, por mais que queimassem ferozmente, o calor não era suficiente para derreter o gelo que, embora de singular transparência, era da dureza do aço. Tão claro que se podia ver, congelados a uma profundidade de vários metros, aqui uma toninha, ali uma solha. Cardumes de enguias imóveis, em transe, mas, se o seu estado era de morte ou apenas de animação suspensa que o calor poderia reviver, era coisa que intrigava os filósofos. Perto da London Bridge, onde o rio congelara até a profundidade de uns quarenta metros, uma barcaça naufragada era claramente visível, deitada no leito do rio onde havia afundado no outono, carregada de maçãs. A velha do barco-quitanda, que levava suas frutas para o mercado do lado de Surrey, ali sentada com seu xale e anquinhas, o colo cheio de maçãs, como se estivesse prestes a servir um cliente, embora um certo tom azulado nos lábios sugerisse a verdade. Era uma visão que o rei James gostava especialmente de olhar, e ele levava uma trupe de cortesãos para olhar com ele. Em resumo, nada podia exceder o brilho e a alegria da cena durante o dia. Mas era à noite que o carnaval ficava mais alegre. Como o inverno continuava ininterrupto, as noites eram de perfeita quietude; a lua e as estrelas resplandeciam com a dura fixidez dos diamantes, e com a boa música de flauta e trompetes dançavam os cortesãos.

Orlando, é verdade, não era dos que tinha o passo leve na *courante* e *la volte*; era desajeitado e um pouco distraído. Preferia as danças simples de seu próprio país, que dançava em criança, em vez daquelas fantásticas mesuras estrangeiras. Por volta das seis da tarde de sete de janeiro, ele acabara de finalizar uma dessas quadrilhas ou minuetos quando viu, vindo do pavilhão da embaixada moscovita, uma figura que, fosse de rapaz ou mulher, pela túnica solta e calça à moda russa que servia para disfarçar o sexo, despertou nele a maior curiosidade. A pessoa, fosse qual fosse seu nome ou sexo, era de estatura mediana e muito esguia e estava vestida inteiramente de veludo cor de ostra, enfeitado com alguma pele desconhecida de cor esverdeada. Mas esses detalhes empalideciam diante da extraordinária sedução que emanava de toda a pessoa. Imagens, metáforas das mais extremas e extravagantes se entrelaçavam e retorciam em sua mente. No espaço de três segundos, ele a chamou de melão, abacaxi, oliveira, esmeralda e de raposa na neve; não sabia se ele a ouvira, provara, vira, ou tudo isso junto. (Porque, embora não devamos fazer nenhuma pausa na narrativa, podemos aqui notar rapidamente que todas as suas imagens nessa época eram simples ao extremo, para combinar com seus sentidos e tiradas principalmente de coisas de que gostava quando menino. Mas, se os sentidos eram simples, eram ao mesmo tempo extremamente fortes. Portanto, fazer uma pausa e buscar as razões das coisas está fora de questão.)... Um melão, uma esmeralda, uma raposa na neve; assim ele delirou, assim olhou. Quando o rapaz, ah!, devia ser um rapaz, nenhuma mulher patinava com tanta velocidade e vigor, passou diante dele quase na ponta dos pés, Orlando estava a ponto de arrancar os cabelos, envergonhado porque a pessoa era do mesmo sexo que ele e, portanto, todos os abraços estavam fora de questão. Mas a pessoa que patinava chegou mais perto. Pernas, mãos, postura, eram de um rapaz, mas nenhum rapaz podia ter uma boca assim; nenhum rapaz tinha aqueles seios; nenhum rapaz tinha olhos que pareciam ter sido pescados no fundo do mar. Por fim, ao parar e fazer uma rápida e muito graciosa reverência ao rei, que se arrastava apoiado ao braço de algum lorde secretário, a patinadora desconhecida parou. Estava a menos de um palmo de distância. Era uma mulher. Orlando olhava fixamente; tremeu; ficou quente; ficou frio; queria se lançar no ar de verão; esmagar com os pés bolotas de carvalho; abraçar as faias e os carvalhos. Na realidade, recuou os lábios sobre os pequenos dentes brancos; abriu-os talvez alguns centímetros como que para morder; fechou-os como se tivesse mordido. Lady Euphrosyne estava pendurada em seu braço.

 Ele descobriu que o nome da estranha era princesa Marusha Stanilovska Dagmar Natasha Iliana Romanovitch, e tinha vindo no trem do embaixador moscovita, que talvez fosse seu tio, ou talvez seu pai, para assistir à coroação. Muito pouco se sabia sobre os moscovitas. Com suas grandes barbas e gorros de pele, sentavam-se quase em silêncio; bebiam certo líquido preto que cuspiam no gelo de vez em quando. Nenhum falava inglês, e o francês, com o qual pelo menos alguns estavam familiarizados, era pouco falado na corte inglesa. Foi através de um acidente que Orlando e a princesa se conheceram. Estavam sentados frente a frente à grande mesa colocada sob um enorme toldo para entretenimento dos notáveis. A princesa foi colocada entre dois jovens lordes, um, o lorde Francis Vere, e o outro, o jovem conde de Moray. Era ridículo ver a situação em que ela logo os colocou, pois, embora ambos fossem bons rapazes à sua maneira, um bebê ainda por nascer tinha tanto conhecimento da língua francesa quanto eles dois. Quando, no início do jantar, a princesa voltou-se para o conde e disse, com uma graça que arrebatou seu coração: *"Je crois avoir fait la connaissance d'un gentilhomme qui vous était apparenté en Pologne l'été dernier"* [Acho que fui apresentada a um cavalheiro que era seu parente na Polônia no verão passado] ou *"La beauté des dames de la cour d'Angleterre me met dans le ravissement. On ne peut voir une dame plus gracieuse que votre reine, ni une coiffure plus belle que la sienne"* [A beleza das damas da corte da Inglaterra me deixa extasiada. Não se vê nenhuma dama mais graciosa que sua rainha, nem um penteado mais bonito que o dela], tanto o lorde Francis quanto o conde demonstraram o maior embaraço. Um a serviu com uma grande porção de raiz-forte, o outro assobiou para seu cachorro e o fez pedir um osso. Diante disso, a princesa não conseguiu mais conter o riso, e Orlando, atraindo seus olhos por sobre as cabeças de javali e pavões recheados, riu também. Ele riu, mas o riso em seus lábios congelou em deslumbramento. Quem tinha ele amado, o que tinha amado até agora, perguntou a si mesmo num tumulto de emoção. Uma velha, respondeu, toda pele e osso. Prostitutas de bochechas vermelhas, tantas que não se podia contar. Uma carola chorosa. Uma dura aventureira de palavras cruéis. Uma pasta oscilante de renda e cerimônia. Amor significava para ele nada mais que serragem e cinzas. As alegrias que dele provara mostravam-se insípidas ao extremo. Assombrava-se ao pensar como podia ter passado por tudo isso sem bocejar. Porque, ao olhar, seu sangue derreteu; o gelo se transformou em vinho em suas veias; ele ouviu as águas fluindo e os pássaros cantando; a primavera irrompeu no duro panorama de inverno; sua virilidade despertou; ele tinha uma espada na mão; atacava um inimigo mais ousado do que polonês ou mouro; mergulhava em águas profundas; viu a flor do perigo crescer numa fenda; ele estendeu a mão, na verdade, estava recitando um de seus sonetos mais arrebatados quando a princesa dirigiu-se a ele:

– Teria a bondade de passar o sal?

Ele ruborizou profundamente.

– Com todo o prazer deste mundo, madame – respondeu ele, em francês de pronúncia perfeita. Porque, Deus seja louvado, ele falava a língua como se fosse a sua própria; a criada de sua mãe o ensinara. No entanto, talvez tivesse sido melhor para ele nunca ter aprendido essa língua; nunca ter respondido àquela voz; nunca ter seguido a luz daqueles olhos...

A princesa continuou. Quem eram aqueles grosseirões, ela perguntou, que estavam sentados ao lado dela com modos de cavalariços? O que era aquela mistura nauseante que tinham servido em seu prato? Os cachorros comiam à mesma mesa que os seres humanos na Inglaterra? Aquela figura engraçada na cabeceira da mesa com o cabelo penteado como um mastro de festa (*comme une grande perche mal fagotée*) era realmente a rainha? E o rei sempre babava daquele jeito? E qual daqueles dândis era George Villiers? Embora essas perguntas desconcertassem Orlando a princípio, foram feitas com tanta graça e humor que ele não pôde deixar de rir; pelos rostos sem expressão do grupo viu que ninguém entendia uma palavra e respondeu a ela com a mesma liberdade com que ela perguntara, falando, como ela, em francês perfeito.

Assim começou entre os dois uma intimidade que logo se tornou o escândalo da corte.

Logo se notou que Orlando prestava muito mais atenção à moscovita do que exigia a mera cortesia. Raramente estava longe dela, e a conversa dos dois, embora ininteligível para o restante, revelava tanta animação e provocava tantos rubores e risos que mesmo o mais estúpido era capaz de adivinhar o assunto. Além disso, a mudança no próprio Orlando foi extraordinária. Ninguém nunca o tinha visto tão animado. Em uma noite, ele se livrou de toda sua infantil falta de jeito; transformou-se de um mocinho mal-humorado, que não conseguia entrar na sala de uma dama sem derrubar metade dos enfeites da mesa, em um nobre cheio de graça e cortesia viril. Ver quando ajudava a moscovita (assim a chamavam) a subir em seu trenó, ou oferecia a ela a mão para dançar, ou pegava o lenço que ela deixara cair, ou cumpria qualquer outro dos múltiplos deveres que a dama suprema exige e o amante se apressa em antecipar era um espetáculo que acendia os olhos foscos da época, e apressava o pulsar rápido da juventude. No entanto, pairava uma nuvem sobre tudo isso. Os velhos davam de ombros. Os jovens cobriam o riso com as mãos. Todos sabiam que um certo Orlando estava noivo de outra. Lady Margaret O'Brien O'Dare O'Reilly Tyrconnel (esse era o nome real da Euphrosine dos sonetos) usava no segundo dedo da mão esquerda uma esplêndida safira. Ela é quem tinha o direito supremo às atenções dele. No entanto, podia deixar cair sobre o gelo todos os lenços de seu guarda-roupa (dos quais tinha muitíssimos) que Orlando nunca se abaixaria para pegá-los. Podia esperar vinte minutos para ele ajudá-la a subir no trenó e acabar tendo de se contentar com o serviço de seu africano. Quando ela patinava, o que fazia sem jeito, ninguém estava ao seu lado para encorajá-la; e se caísse, como caía, bem pesadamente, ninguém a levantava e sacudia a neve de suas anáguas. Embora ela fosse naturalmente fleumática, demorasse a se ofender e mais relutante do que a maioria em acreditar que uma mera estrangeira poderia afastá-la do afeto de Orlando, ainda assim lady Margaret foi finalmente levada a suspeitar que algo conspirava contra sua paz de espírito.

Na verdade, com o passar dos dias, Orlando tinha cada vez menos cuidado em esconder seus sentimentos. Dava uma desculpa ou outra e deixava o grupo assim que terminavam o jantar, ou escapava dos patinadores que formavam grupos para uma quadrilha. No momento seguinte, viam que a moscovita também tinha desaparecido. Mas o que mais indignava a corte, e a atingia em seu ponto mais sensível, que é a vaidade, era que viam muitas vezes o casal deslizar por baixo da corda de seda que protegia o recinto real da parte pública do rio e desaparecer entre a multidão dos plebeus. Porque, de repente, a princesa batia o pé e exclamava: "Me leve embora. Detesto a sua quadrilha inglesa", que era como se referia à corte inglesa em si. Ela não aguentava mais. Era cheia de velhas curiosas, disse ela, que encaravam as pessoas e de jovens presunçosos que pisavam no pé dos outros. Eles cheiravam mal. Seus cães corriam entre as pernas dela. Era como estar numa gaiola. Na Rússia, havia rios de quinze quilômetros de largura nos quais seis cavalos podiam galopar lado a lado o dia todo sem encontrar ninguém. Além disso, ela queria ver a torre, os guardas da torre, as cabeças na porta do Temple Bar e as joalherias da cidade. Então Orlando a levou à cidade, mostrou os guardas da torre, as cabeças dos rebeldes, comprou tudo o que lhe agradou no Royal Exchange. Mas isso não bastou. Cada um desejava cada vez mais a companhia do outro em privacidade, o dia todo, onde não houvesse ninguém para se escandalizar ou encarar. Portanto, em vez de tomar a estrada para Londres, seguiram para o lado oposto e logo estavam além da multidão dos espaços congelados do Tâmisa, onde, exceto por aves marinhas e alguma velha camponesa que cortava o gelo numa tentativa vã de tirar um balde de água ou juntava os gravetos e as folhas mortas que pudesse encontrar para o fogo, não cruzaram com vivalma. Os pobres se mantinham perto de casa, e os privilegiados, que podiam pagar, se aglomeravam na cidade em busca de calor e alegria.

Então, Orlando e Sasha, como ele a chamava para abreviar, e porque era o nome de uma raposa russa branca que ele tivera quando menino, uma criatura delicada como a neve, mas com dentes de aço, que o mordeu com tanta fúria que seu pai a matara, então, eles tinham o rio só para eles. Aquecidos pela patinação e pelo amor, eles se jogaram em qualquer canto solitário, onde os vimes amarelos orlavam a margem, e envoltos numa grande capa de pele, Orlando a tomou nos braços e conheceu, pela primeira vez, sussurrou ele, as delícias do amor. Então, quando o êxtase acabou e eles se abandonaram num torpor sobre o gelo, ele contou a ela sobre seus outros amores, e como, comparados a ela, eram de madeira, de pano de saco, e de cinzas. E rindo de sua veemência, ela se virou mais uma vez em seus braços e, por amor, lhe deu mais um abraço. E então se deslumbraram porque o gelo não derretia com seu calor e sentiram pena da pobre velha que não tinha esse meio natural de descongelamento e precisava cortar o gelo com um cortador de aço frio. E então, envoltos em suas zibelinas, conversaram sobre o que existia sob o sol; de pontos turísticos e viagens; de mouros e pagãos; da barba deste homem e da pele daquela mulher; de um rato que se alimentou da mão dela à mesa; das tapeçarias sempre oscilantes no corredor das casas; de um rosto; de uma pena. Nada era pequeno demais para tal conversa, nada grande demais.

Então, de repente, Orlando caiu numa de suas melancolias; a visão da velha batendo no gelo podia ser a causa, ou nada; e se jogou de bruços no gelo, olhou a água congelada e pensou na morte. Para o filósofo, tem razão quem diz que nada mais espesso que a lâmina de uma faca separa a felicidade da melancolia; prossegue e opina que um é gêmeo do outro; e tira disso a conclusão de que todos os extremos de sentimento estão aliados à loucura; e assim nos convida a nos refugiarmos na igreja verdadeira (em sua opinião, a anabatista), e diz que ela é o único abrigo, porto, ancoradouro etc. para aqueles lançados nesse mar.

– Tudo termina em morte – disse Orlando, sentado ereto, o rosto turvado com melancolia. (Pois assim a sua mente funcionava agora, em violenta oscilação entre vida e morte, sem parar em nada no meio, de modo que o biógrafo também não deve parar, mas sim voar o mais depressa possível e assim acompanhar as ações tolas, passionais, irrefletidas e as repentinas palavras extravagantes que, impossível negar, Orlando se permitia neste momento de sua vida.)

– Tudo termina em morte – disse Orlando, sentado ereto no gelo. Mas Sasha, que afinal não tinha sangue inglês, mas era da Rússia, onde o pôr do sol é mais longo, o amanhecer menos repentino e as frases muitas vezes ficam inacabadas por não se saber a melhor maneira de finalizá-las, olhou para ele. Talvez zombasse dele, pois devia parecer uma criança para ela, e nada disse. Mas, por fim, o gelo ficou frio debaixo deles, coisa que a desagradava, então puxou-o para se pôr de pé outra vez, e falou tão encantadora, tão espirituosa e tão sábia (mas infelizmente sempre em francês, que notoriamente perde seu sabor na tradução) que ele esquecesse a água congelada, a noite chegando, a velha ou o que quer que fosse, e tentasse dizer, mergulhando, agitado entre as mil imagens tão superadas quanto as mulheres que as inspiraram, como ela era. Neve, creme, mármore, cereja, alabastro, fio dourado? Nada disso. Ela era como uma raposa ou uma oliveira; como as ondas do mar quando do alto se olha para elas; como uma esmeralda; como o sol em uma verde encosta ainda enevoada; como nada que ele tinha visto ou conhecido na Inglaterra. Vasculhou a linguagem como pôde, as palavras lhe faltavam. Ele queria outra paisagem e outra língua. O inglês era muito franco, muito ingênuo, uma fala muito melosa para Sasha. Porque em tudo o que ela dizia, por mais aberta e voluptuosa que parecesse, havia algo oculto; em tudo que ela fazia, por mais ousado, havia algo escondido. Assim, a chama verde parece escondida na esmeralda, o sol preso em uma encosta. A clareza era apenas por fora; por dentro, havia uma chama errante. Que ia e vinha; ela nunca brilhava com a luz constante de uma inglesa. Aqui, porém, ao se lembrar de lady Margaret e suas anáguas, Orlando enlouqueceu em seus transportes e arrebatou-a sobre o gelo, mais e mais depressa, jurando que perseguiria a chama, mergulharia em busca da gema, e assim por diante, as palavras em haustos na respiração ofegante com a paixão de um poeta cuja poesia é arrancada dele em parte pela dor.

Mas Sasha ficou em silêncio. Quando Orlando terminou de dizer que ela era uma raposa, uma oliveira ou o topo de uma encosta verde, e contou toda a história de sua família; que a sua família era uma das mais antigas da Grã-Bretanha; que tinham vindo de Roma com os césares e tinham o direito de percorrer o Corso (que é a rua principal de Roma) debaixo de um palanquim com borlas, que ele disse ser privilégio reservado apenas aos de sangue imperial (pois havia nele uma credulidade altiva que era bem agradável), ele parou e perguntou: Onde era a casa dela? O que era o seu pai? Ela tinha irmãos? Por que estava ali sozinha com o tio? Então, de alguma forma, embora ela respondesse prontamente, surgiu uma estranheza entre eles. De início, ele suspeitou que a posição dela não fosse tão elevada quanto ela gostaria; ou que ela tinha vergonha das maneiras selvagens de seu povo, pois tinha ouvido falar que as mulheres de Moscou usavam barba, que os homens eram cobertos de pelo da cintura para baixo; que ambos os sexos se untavam com sebo para evitar o frio, que cortavam a carne com os dedos e viviam em cabanas onde um nobre inglês teria escrúpulos de conservar seu gado; de modo que ele se absteve de pressioná-la. Mas, refletindo, ele concluiu que o silêncio dela não podia ser por essa razão; ela própria era totalmente desprovida de pelos no queixo; vestia-se com veludo e pérolas, e suas maneiras certamente não eram as de uma mulher criada em um estábulo. O que, então, ela escondia dele? A dúvida por baixo da tremenda força dos sentimentos dele era como areia movediça sob um monumento que se movimenta de repente e faz tudo estremecer. A agonia o dominou de repente. Então ele explodiu com tal fúria que ela não sabia como acalmá-lo. Talvez ela não quisesse acalmá-lo; talvez ela gostasse das raivas dele e as provocasse de propósito: assim, curiosamente oblíquo, é o temperamento moscovita.

Para continuar a história: patinaram mais longe do que de costume naquele dia e chegaram à parte do rio onde os navios haviam ancorado e congelado no meio da correnteza. Entre eles estava o navio da embaixada moscovita, com a bandeira da águia negra de duas cabeças do mastro principal e pingentes de muitas cores de metros de comprimento. Sasha tinha deixado algumas roupas a bordo, e, supondo que o navio estivesse vazio, subiram para o convés e foram buscá-las. Lembrando de certas passagens de seu próprio passado, Orlando não se surpreenderia se alguns bons cidadãos tivessem procurado esse refúgio antes deles; e assim foi. Não tinham se aventurado muito longe quando um bom jovem interrompeu seus próprios assuntos atrás de um rolo de corda, dizendo, aparentemente, porque falou em russo, que era da tripulação e ajudaria a princesa a encontrar o que queria, acendeu um toco de vela e desapareceu com ela nas partes mais baixas do navio.

Passou-se algum tempo e Orlando, envolto nos próprios sonhos, pensava apenas nos prazeres da vida; em sua joia; na raridade dela; nos meios de torná-la irrevogável e indissoluvelmente sua. Havia obstáculos e dificuldades a superar. Ela estava decidida a viver na Rússia, onde havia rios congelados, cavalos selvagens e homens, dizia ela, que cortavam as gargantas uns dos outros. Verdade que uma paisagem de pinheiros e neve, hábitos de luxúria e carnificina não o atraíam. Nem estava ansioso a interromper suas agradáveis formas de esporte e plantio de árvores no campo; renunciar a seu cargo; arruinar sua carreira; caçar renas em vez de coelhos; beber vodca em vez de vinho das Canárias, e esconder uma faca na manga; não sabia ele para qual propósito. Mesmo assim, tudo isso e mais do que tudo isso ele faria por ela. Quanto a seu casamento com lady Margaret, por mais confirmado que estivesse para essa semana, a coisa era tão palpavelmente absurda que ele mal pensava a respeito. Seus parentes o censurariam por abandonar uma grande dama; seus amigos zombariam dele por arruinar a melhor carreira do mundo em troca de uma mulher cossaca e uma vastidão de neve; isso tudo não pesava uma palha a mais na balança em comparação com a própria Sasha. Na primeira noite escura eles iam fugir. Tomariam um navio para a Rússia. Assim ele ponderava; assim planejava, andando de um lado para o outro no convés. Ele voltou a si quando olhou para oeste, com a visão do sol pendurado como uma laranja na cruz da St. Paul. Estava vermelho-sangue e se punha rapidamente. Devia ser quase noite. Sasha tinha descido fazia uma hora ou mais. Dominado imediatamente por presságios sombrios que obscureciam até mesmo seus pensamentos mais confiantes sobre ela, ele se arremessou por onde os vira descer para o porão do navio; e, depois de tropeçar entre baús e barris no escuro, um brilho fraco em um canto revelou que eles estavam sentados ali. Em um segundo, teve uma visão dos dois; viu Sasha sentada no colo do marinheiro; viu que se curvava na direção dele; viu que se abraçavam antes que a luz se apagasse na nuvem vermelha de sua raiva. Ele explodiu em tal uivo de angústia que todo o navio ecoou. Sasha se pôs entre eles, ou o marinheiro teria sido sufocado antes que pudesse sacar a faca. Então um torpor mortal se abateu sobre Orlando, e tiveram que deitá-lo no chão e dar-lhe conhaque para que revivesse. Então, quando se recuperou e estava sentado sobre uma pilha de aniagem no convés, Sasha pairava sobre ele, passava diante de seus olhos atordoados, delicada, sinuosa, como a raposa que o mordeu, ora lisonjeando, agora censurando, de modo que ele passou a duvidar do que tinha visto. A vela não tinha derretido? As sombras não tinham se movido? A caixa era pesada, disse ela; o homem a ajudara a carregá-la. Orlando acreditou nela num momento (quem podia garantir que sua raiva não havia pintado o que ele mais temia encontrar?), e no momento seguinte tornou-se mais violenta a sua raiva pela falsidade dela. Então a própria Sasha ficou branca; bateu o pé no convés; disse que iria embora naquela noite, pediu a seus deuses que a destruíssem, se ela, uma Romanovitch, tivesse estado nos braços de um marinheiro comum. Na verdade, olhando para os dois juntos (coisa que ele mal conseguia fazer), Orlando se indignou com a baixeza de sua imaginação, capaz de pintar uma criatura tão frágil nas patas daquele bruto peludo do mar. O homem era enorme; um metro e noventa de estatura, sem sapatos, com brincos de arame comuns nas orelhas; e parecia um cavalo de carga em cima do qual alguma cambaxirra ou tordo se empoleirou em voo. Então ele se rendeu; acreditou nela; e pediu seu perdão. No entanto, quando estavam descendo pela lateral do navio, novamente amorosos, Sasha fez uma pausa apoiada ao corrimão, e enviou àquele monstro fulvo de cara larga uma salva de saudações, brincadeiras ou palavras carinhosas russas, as quais Orlando não conseguiu entender. Mas havia alguma coisa em seu tom (talvez por culpa das consoantes russas) que lembrou Orlando de uma cena de algumas noites antes, quando ele a encontrou num canto, roendo em segredo uma ponta de vela que pegara do chão. Verdade, era cor-de-rosa; era dourada; e era da mesa do rei; mas era sebo, e ela roía aquilo. Não haveria, pensou ele, ajudando-a a pisar no gelo, algo desagradável nela, algo grosseiro, algo de origem camponesa? E ele a imaginou aos quarenta anos, mais volumosa, embora agora fosse magra como um junco, e letárgica, embora agora estivesse alegre como uma cotovia. Porém mais uma vez, ao patinarem para Londres, essas suspeitas se dissolveram em seu peito, e ele sentiu como se tivesse sido fisgado pelo nariz por um grande peixe e corresse pelas águas involuntariamente, no entanto com total consentimento.

Era um entardecer de incrível beleza. Conforme o sol se punha, todas as cúpulas, torretas, torres e pináculos de Londres se erguiam em negra escuridão contra as furiosas nuvens vermelhas do crepúsculo. Aqui a cruz ornamentada em Charing; ali, a cúpula de St. Paul; lá, a praça maciça dos edifícios da Torre; lá, como um bosque de árvores despojado de todas as folhas, exceto por um botão no final, estavam as cabeças nas lanças de Temple Bar. No momento, as janelas da abadia estavam acesas e brilhavam como um escudo celestial multicolorido (na fantasia de Orlando); no momento, todo o oeste parecia uma janela dourada com tropas de anjos (na fantasia de Orlando outra vez) que subiam e desciam perpetuamente as escadas celestiais. O tempo todo parecia que eles patinavam em insondáveis profundidades de ar, tão azul o gelo se tornara; e tão cristalino e liso que eles aceleravam mais e mais na direção da cidade, enquanto as gaivotas brancas circulavam acima deles e cortavam com as asas no ar os mesmos rastros que eles cortavam no gelo com os patins. Como que para tranquilizá-lo, Sasha estava mais carinhosa do que de costume e ainda mais encantadora. Ela raramente falava de sua vida passada, mas então contou que, no inverno na Rússia, ela ouvia os lobos uivarem nas estepes, e para mostrar a ele, latiu como um lobo, três vezes. Diante disso, ele contou sobre os gamos na neve em sua casa, que eles entravam no grande salão para se aquecer e eram alimentados por um velho com um balde de aveia. Ela então o elogiou; por seu amor pelos animais; por sua nobreza; por suas pernas. Encantado com os elogios e envergonhado por pensar como a caluniara ao imaginá-la no colo de um marinheiro gordo e letárgico de quarenta anos, ele disse que não tinha palavras para elogiá-la; mas imediatamente lhe ocorreu que pensava nela como a primavera, a grama verde, a água corrente, e abraçando-a com mais força que nunca, ele a levou até o meio do rio onde as gaivotas e os cormorões também circulavam. Por fim, ao parar sem fôlego, ela disse, ligeiramente ofegante, que ele era como uma árvore de Natal com um milhão de velas (como na Rússia) em globos amarelos; incandescente; a ponto de iluminar uma rua inteira; (assim se pode traduzir) e, diante disso, com as faces brilhantes, os cachos escuros, a capa preta e carmesim, ele parecia brilhar com seu próprio esplendor, vindo de uma chama interna.

Todas as cores, exceto o vermelho do rosto de Orlando, logo desbotaram. A noite chegou. Quando a luz alaranjada do pôr do sol desapareceu, veio em seguida um espantoso brilho branco das tochas, fogueiras, lanternas flamejantes e outros dispositivos que iluminavam o rio, e ocorreu a mais estranha transformação. Várias igrejas e palácios de nobres, cujas fachadas eram de pedra branca, apresentavam listras e manchas como se flutuassem no ar. Da St. Paul, em particular, não restava nada além de uma cruz dourada. A abadia parecia o esqueleto cinzento de uma folha.

Tudo se emaciou e transformou. Ao se aproximarem do festival, ouviram uma nota profunda como a de um diapasão que ressoou mais e mais alto até se transformar em estrondo. De vez em quando, um grande grito soava depois de um rojão no ar. Aos poucos, eles divisaram figuras que se separavam da vasta multidão e giravam de um lado para o outro, como mosquitos na superfície de um rio. Acima e em torno desse círculo brilhante, como uma tigela de escuridão, o negror profundo de uma noite de inverno esmagava. E então, nessa escuridão, começaram a surgir, a intervalos, mantendo alerta a expectativa e abertas as bocas, foguetes coloridos; luas crescentes; cobras; uma coroa. A certo momento, a floresta e os morros distantes pareciam verdes como em um dia de verão; no momento seguinte, tudo era inverno e escuridão outra vez.

A essa altura, Orlando e a princesa estavam perto do pavilhão real e viram seu caminho impedido por uma grande multidão de gente comum que se apertava junto à corda de seda o máximo que ousava. Relutantes em acabar com sua privacidade e encontrar os olhos penetrantes à espreita dos dois, o casal ali ficou, ombro a ombro com aprendizes; alfaiates; peixeiras; vendedores de cavalos; apanhadores de coelhos; intelectuais famintos; criadas com seus toucados; vendedoras de laranja; cavalariços; cidadãos sóbrios; balconistas de bar debochados; e uma multidão daqueles meninos maltrapilhos que sempre assolam os arredores de um multidão, gritando e se esgueirando entre os pés das pessoas. Toda a ralé das ruas de Londres de fato ali estava, e brincava, se empurrava, aqui jogavam dados, adivinhavam a sorte, empurravam, faziam cócegas, beliscavam; ali ruidosos, ali soturnos; alguns com a boca escancarada de um metro de largura; outros tão pouco reverentes como gralhas no alto de uma casa; todos ataviados tão diversamente quanto a bolsa ou o posto permitiam; aqui em pele e lã; ali em farrapos com os pés isolados do gelo apenas por um pano amarrado neles. Aparentemente, a maior concentração de pessoas ficava em frente a uma barraca ou palco algo semelhante ao nosso teatro de fantoches Punch e Judy, onde algum tipo de apresentação ocorria. Um homem negro agitava os braços e vociferava. Havia uma mulher vestida de branco deitada em uma cama. Por mais rústica que fosse a encenação, os atores subiam e desciam um par de degraus, às vezes tropeçavam, e a multidão batia os pés, assobiava, ou, quando se entediava, atirava no gelo pedaços de casca de laranja que um cachorro disputaria; mesmo assim, a surpreendente melodia sinuosa das palavras mexeu com Orlando como música. Pronunciadas com extrema velocidade e audaciosa agilidade que lembrava o canto dos marinheiros na cervejaria de Wapping, as palavras, mesmo sem sentido, eram como vinho para ele. Mas, de vez em quando, uma única frase lhe chegava sobre o gelo como se arrancada do fundo do coração. O furor do mouro parecia-lhe o seu próprio furor, e, quando o mouro sufocou a mulher em sua cama, foi Sasha que ele matou com as próprias mãos.

Por fim a peça terminou. Tudo se apagou. Lágrimas corriam pelo rosto dele. Olhando o céu, não havia ali também nada além de escuridão. Ruína e morte, ele pensou, tudo cobrem. A vida do homem termina no túmulo. Os vermes nos devoram.

Que venha agora um grande eclipse
do sol e da lua, e que o globo apavorado
se dilacere...*

Assim que ele disse isso, uma estrela de certa palidez surgiu em sua memória. A noite estava escura; escura como breu; mas era uma noite assim que eles esperavam; tinham planejado fugir numa noite como essa. Ele se lembrou de tudo. Chegara a hora. Com explosiva paixão, ele puxou Sasha para si e sibilou em seu ouvido *"Jour de ma vie!"* – era o sinal. À meia-noite, se encontrariam em uma pousada perto de Blackfriars. Havia lá cavalos à espera. Estava tudo pronto para a fuga. Então, eles se separaram, ela para sua tenda, ele para a dele. Ainda faltava o tempo de uma hora.

---

*   *Otelo,* de William Shakespeare. Ato 5, Cena II.

Muito antes da meia-noite, Orlando já estava à espera. A noite era de um escuro tão profundo que um homem podia chegar a você antes de ser visto, o que era ótimo, mas era também da mais solene quietude, de forma que os cascos de um cavalo ou o choro de uma criança podiam ser ouvidos à distância de quase um quilômetro. Mais de uma vez, enquanto andava pelo pequeno pátio, Orlando sentiu o coração parar ao som dos passos constantes de algum cavalo velho nas pedras do calçamento, ou ao farfalhar do vestido de uma mulher. Mas o viajante era apenas um comerciante que voltava para casa atrasado; ou alguma mulher do bairro cuja tarefa não era nada tão inocente. Eles passaram e a rua ficou mais silenciosa que antes. Então aquelas luzes acesas no andar de baixo, nos aposentos pequenos e amontoados onde o pobres da cidade viviam, mudaram para os quartos de dormir, e então, uma por uma, se apagaram. Os lampiões de rua nessas cercanias eram poucos, no geral; e a negligência do vigia noturno muitas vezes permitia que expirassem muito antes do amanhecer. O escuro ficava então ainda mais profundo. Orlando olhou para os pavios de seu lampião, conferiu as faixas da sela; preparou as pistolas; examinou os coldres; e fez todas essas coisas pelo menos uma dúzia de vezes, até não haver mais nada que exigisse sua atenção. Embora ainda faltassem uns vinte minutos para a meia-noite, ele não se animou a entrar no salão da pousada, onde a anfitriã ainda servia xerez e o tipo mais barato de vinho das Canárias para uns poucos marinheiros que ali sentados entoavam suas canções e contavam histórias de Drake, Hawkins e Grenville, até caírem dos bancos e rolarem dormindo no chão coberto de areia. O escuro era mais compassivo com seu coração inchado e violento. Ele ouvia cada passo; especulava sobre cada som. Cada grito bêbado e cada lamento de algum pobre coitado caído na palha ou em outro sofrimento cortavam seu coração até o fundo, como se fosse um mau presságio para sua aventura. Não tinha, porém, nenhum temor por Sasha. Para ela, a aventura não era nada. Ela viria sozinha, de capa e calça, com botas de homem. Leve como era seu passo, dificilmente seria ouvido, mesmo naquele silêncio. Ele então esperou no escuro. De repente, sentiu no rosto um toque, macio, mas pesado, na lateral da face. Tão envolvido estava na expectativa que se sobressaltou e pôs a mão na espada. O toque se repetiu uma dúzia de vezes na testa e nas faces. A geada seca perdurava há tanto tempo que ele levou um minuto para perceber que eram gotas de chuva que caíam; os toques eram toques de chuva. No começo, lentos, deliberados, um a um. Mas logo seis gotas se tornaram sessenta; depois seiscentas; em seguida, corriam juntas num jato constante. Foi como se o céu duro e consolidado se despejasse como uma fonte profusa. No espaço de cinco minutos, Orlando estava encharcado até os ossos.

Depressa colocou os cavalos debaixo de uma cobertura, e procurou abrigo sob o lintel da porta de onde ainda podia observar o pátio. O ar estava mais espesso do que nunca, o aguaceiro levantou tamanho vapor e zumbido que não dava para ouvir nenhum passo de homem ou animal. As estradas, irregulares como estavam, com grandes buracos, estariam debaixo d'água e talvez intransponíveis. Mas que efeito isso teria sobre a fuga, ele mal conseguia pensar. Todos os seus sentidos estavam ocupados em vigiar o longo caminho pavimentado que brilhava à luz do lampião para a chegada de Sasha. Às vezes, no escuro, ele parecia vê-la envolta em chuva. Mas o fantasma desaparecia. De repente, com uma voz terrível, sinistra, uma voz cheia de horror e alarme que arrepiou de angústia todos os cabelos na alma de Orlando, St. Paul deu o primeiro toque da meia-noite. Quatro vezes mais bateu, impiedoso. Com a superstição de um amante, Orlando concebeu que no sexto toque ela viria. Mas o sexto golpe soou, o sétimo veio e o oitavo, e para sua mente apreensiva eles pareciam notas, primeiro anunciando e depois proclamando morte e desgraça. No décimo segundo toque, ele sabia que seu destino estava selado. Para sua parte racional, era inútil buscar razões; ela podia estar atrasada; podia ter sido impedida; podia ter se perdido. O coração apaixonado e sensível de Orlando sabia a verdade. Outros relógios soaram, soaram um depois do outro. O mundo inteiro parecia ressoar com a notícia de seu engano e menosprezo. As velhas suspeitas subterrâneas em ação dentro dele afloraram abertamente. Ele foi picado por um enxame de cobras, cada uma mais venenosa que a outra. Ficou parado na porta, na chuva tremenda, sem se mexer. Com o passar dos minutos, os joelhos cederam um pouco. O aguaceiro continuava. No auge dele, grandes armas pareciam explodir. Ouviam-se ruídos enormes como o dilacerar e partir-se de carvalhos. Havia também gritos selvagens e terríveis gemidos desumanos. Mas Orlando ficou ali imóvel até o relógio de St. Paul bater duas horas, e então ele gritou bem alto com uma terrível ironia e todos os dentes à mostra, "*Jour de ma vie!*", jogou no solo o lampião, montou no cavalo e galopou sem saber para onde.

Algum instinto cego, uma vez que estava além do raciocínio, deve tê-lo levado a pegar a margem do rio na direção do mar. Porque, quando rompeu a aurora, o que aconteceu com uma rapidez incomum, o céu ficou amarelo pálido, a chuva quase cessou, e ele se viu nas margens do Tâmisa em Wapping. Então, uma imagem da mais extraordinária natureza se abriu a seus olhos. Ali, onde durante três meses ou mais havia gelo sólido de tal espessura que parecia tão permanente como pedra, e toda uma cidade alegre se erguia no pavimento, havia agora águas amarelas que corriam, turbulentas. O rio conquistara sua liberdade durante a noite. Era como se uma primavera de enxofre (posição para a qual muitos filósofos se inclinaram) tivesse surgido das regiões vulcânicas abaixo e estourado o gelo com tamanha veemência que o fragmentara em pedaços enormes, volumosos. O mero olhar para a água foi o que bastou para deixá-lo tonto. Tudo era tumulto e confusão. O rio estava cheio de icebergs. Alguns eram tão grandes como um campo de críquete, tão altos quanto uma casa; outros não maiores que um chapéu de homem, mas a maior parte fantasticamente distorcida. Ora, todo um comboio de blocos de gelo

42

descia e afundava tudo em seu caminho. Ora, em redemoinhos o rio se retorcia como uma serpente torturada, parecia correr entre os fragmentos e atirá-los de margem a margem, e podia-se ouvi--los batendo contra os píeres e pilares. Mas o mais terrível, que inspirava terror, era a visão das criaturas humanas encurraladas durante a noite e que agora vagavam de um lado para o outro na maior agonia em suas ilhas agitadas e precárias. Quer pulassem na água ou permanecessem no gelo, seu destino estava selado. Às vezes, um grande grupo dessas pobres criaturas caía ao mesmo tempo, outras vezes de joelhos, outras amamentando seus bebês. Um velho parecia ler em voz alta um livro sagrado. Em outras, e seu destino talvez fosse ainda mais terrível, um infeliz solitário caminhava por seu estreito espaço sozinho. Enquanto eram varridos para o mar, ouvia-se alguns que gritavam em vão por ajuda, faziam loucas promessas de se corrigir, confessavam seus pecados e prometiam altares e riqueza se Deus ouvisse suas preces. Outros, tão atordoados de terror, sentados imóveis e em silêncio, olhavam fixamente à frente. Alguns jovens barqueiros ou mensageiros, a julgar pelos librés, que vociferavam as canções de taverna mais obscenas, como se estivessem em bravata, foram arremessados contra uma árvore e afundaram com blasfêmias nos lábios. Um velho nobre, porque sua roupa de peles e corrente de ouro isso proclamavam, passou não muito longe de onde Orlando estava, invocando vingança contra os rebeldes irlandeses, que, gritou ele com seu último alento, haviam conspirado essa desgraça. Muitos morreram com algum pote de prata ou outro tesouro apertado ao peito; e pelo menos vinte pobres desgraçados se afogaram pela própria cupidez, ao se atirarem da margem para a enchente em vez de largarem uma taça de ouro, ou ver desaparecer diante dos olhos alguma roupa de pele. Pois móveis, objetos de valor, posses de todo tipo eram levados embora nos icebergs. Entre outras coisas estranhas, uma gata que amamentava seus filhotes; uma mesa suntuosamente posta para uma ceia de vinte pessoas; um casal na cama; junto com um extraordinário número de utensílios de cozinha.

    Atordoado, surpreso, durante algum tempo Orlando não conseguiu fazer nada além de observar a terrível corrida da água que se arremessava diante dele. Por fim, parecendo se recompor, ele bateu as esporas no cavalo e galopou depressa ao longo da margem do rio na direção do mar. Ao virar numa curva do rio, se viu diante daquele ponto onde, havia menos de dois dias, os navios dos embaixadores pareciam imobilizados, congelados. Bem depressa contou-os; o francês; o espanhol; o austríaco; o turco. Todos ainda flutuavam, embora o francês tivesse se soltado das amarras e a nave turca sofrido um grande rasgo na lateral, e se enchia agora de água rapidamente. Mas o navio russo não estava visível. Por um momento, Orlando pensou que podia ter afundado; mas ergueu-se nos estribos, protegendo os olhos que tinham a visão de um falcão, e conseguiu distinguir a forma de um navio no horizonte. As águias negras voavam no alto do mastro. O navio da embaixada moscovita rumava para o mar.

    Saltou do cavalo e, em sua raiva, parecia querer enfrentar a enchente. Com água pelos joelhos, arremessou contra a mulher infiel todos os insultos que sempre couberam ao seu sexo. Infiel, instável, inconstante, ele a chamou; diabo, adúltera, enganadora; e a água turbulenta pegou suas palavras e jogou a seus pés uma panela quebrada e um pouco de palha.

2

Nesta altura, o biógrafo se depara com uma dificuldade que talvez seja melhor confessar do que encobrir. Até este ponto, ao contar a história da vida de Orlando, documentos, tanto privados quanto históricos, tornaram possível cumprir o primeiro dever de um biógrafo, que é trabalhar, sem olhar para a direita nem para a esquerda, nas pegadas indeléveis da verdade; não seduzido por flores; apesar da sombra; prosseguir metodicamente até cair na sepultura e escrever *finis* na lápide acima da nossa cabeça. Mas agora chegamos a um episódio que se atravessa em nosso caminho, de forma que não há como ignorá-lo. Porém é escuro, misterioso e não documentado; de modo que não há explicação para ele. Podem escrever volumes para interpretá-lo; fundar sistemas religiosos inteiros em seu significado. Nosso simples dever é expor os fatos, na medida em que são conhecidos, e deixar que o leitor faça com eles o que quiser.

No verão seguinte àquele inverno desastroso que viu a geada, a enchente, a morte de muitos milhares, e a derrocada total das esperanças de Orlando, uma vez que foi exilado da corte; em profunda desgraça com a maioria dos nobres poderosos de seu tempo; a casa irlandesa de Desmond justamente enfurecida; o rei já tinha problemas suficientes com os irlandeses para engolir mais esse

– naquele verão, Orlando retirou-se para sua grande casa no campo e lá vivia em completa solidão. Uma manhã de junho, no sábado, dia 18, ele não conseguiu se levantar na hora de costume, e quando o criado foi chamá-lo, encontrou-o dormindo profundamente. Não era possível despertá-lo. Estava deitado como num transe, sem respiração perceptível; e embora pusessem cães para latir debaixo de sua janela; tocassem perpetuamente címbalos, tambores e ossos em seu quarto; colocassem um arbusto de tojo debaixo do travesseiro; e emplastros de mostarda nos pés, mesmo assim ele não acordou, nem comeu, nem apresentou qualquer sinal de vida por sete dias inteiros. No sétimo dia, ele acordou no horário normal (quinze para as oito, precisamente) e expulsou de seu quarto o bando inteiro de benzedeiras e curandeiros da aldeia, o que era bastante natural; mas estranho era que ele não demonstrava consciência alguma de qualquer transe, apenas vestiu-se e mandou buscar seu cavalo como se tivesse acordado de uma única noite de sono. No entanto, desconfiava-se que algumas mudanças deviam ter ocorrido nas câmaras de seu cérebro, pois, embora estivesse perfeitamente racional e parecesse mais sério e mais calmo do que antes, parecia ter uma lembrança imperfeita de sua vida passada. Ele ouvia quando as pessoas falavam da grande geada, da patinação, do festival, mas não dava sinal algum de ter testemunhado ele mesmo essas coisas. Quando discutiam os eventos dos últimos seis meses, ele parecia não tanto angustiado como intrigado, como se estivesse perturbado por memórias confusas de algum tempo distante ou tentasse recordar histórias contadas a ele por outra pessoa. Observaram que, quando se mencionava a Rússia, princesas ou navios, ele caía numa melancolia inquieta, levantava-se, olhava pela janela ou chamava um dos cachorros, ou pegava uma faca e entalhava um pedaço de madeira de cedro. Mas os médicos da época não eram nada mais sábios do que os de agora, e, depois de prescreverem repouso e exercícios, jejum e alimentação, sociedade e solidão, que ele ficasse na cama o dia inteiro e cavalgasse sessenta quilômetros entre o almoço e o jantar, junto com os costumeiros sedativos e estimulantes, diversificavam, segundo seus caprichos, com poções de baba de salamandra ao levantar, e beberagens de fel de pavão antes de dormir, o deixaram por sua própria conta, e sua opinião era de que ele dormira por uma semana. Mas, se sono fosse, não podemos deixar de nos perguntar, de que natureza são sonos assim? São medidas corretivas, transes em que as memórias mais perturbadoras, eventos que parecem suscetíveis de paralisar a vida para sempre, são varridos por uma asa escura que remove sua aspereza e doura, mesmo os mais feios e baixos, com um brilho, uma incandescência? Será que o dedo da morte tem de pousar no tumulto da vida de quando em quando para que não nos dispersemos? Somos feitos de tal forma que temos de tomar a morte em pequenas doses diárias ou não poderíamos continuar com o encargo de viver? E então que estranhos poderes são esses que penetram nossos maiores segredos e mudam nossos bens mais preciosos sem que o desejemos? Teria Orlando, esgotado pelo extremo de seu sofrimento, morrido durante uma semana, e depois voltado à vida? E, se assim fosse, de que natureza é a morte e de que natureza é a vida? Depois de esperar mais de meia hora por uma resposta a essas perguntas, sem chegar a nenhuma, vamos continuar com a história.

Orlando entregou-se a uma vida de extrema solidão. Ter caído em desgraça na corte e a violência de sua dor eram em parte a razão disso, mas, como ele não fazia esforço algum para se defender e raramente convidava alguém para visitá-lo (embora tivesse muitos amigos que o fariam de bom grado), parecia que ficar sozinho na grande casa de seus pais convinha a seu temperamento. A solidão foi sua escolha. Ninguém sabia direito como ele passava o tempo. Os criados, dos quais mantinha uma equipagem completa, embora grande parte de suas tarefas fosse tirar o pó de quartos vazios e alisar as cobertas das camas onde ninguém nunca dormia, assistiam, no escuro da noite, sentados em torno de seus bolos e cerveja, uma luz passar pelas galerias, atravessar os salões de banquete, subir a escada, entrar nos quartos, e sabiam que seu senhor estava a perambular pela casa sozinho. Ninguém ousava segui-lo, pois a casa era assombrada por uma grande variedade de fantasmas, e por sua dimensão era fácil se perder e cair por alguma escada escondida ou abrir uma porta que, se o vento soprasse, se fecharia para sempre, acidentes de ocorrência nada incomum, como comprovava a frequente descoberta de esqueletos de homens e animais em atitudes de grande agonia. Então a luz se perdia totalmente, e a sra. Grimsditch, a governanta, dizia ao sr. Dupper, o capelão, que esperava que sua senhoria não tivesse sofrido algum grave acidente. O sr. Dupper opinava que seu senhor estaria, sem dúvida, de joelhos entre as tumbas de seus ancestrais na capela, que ficava na ala da mesa de bilhar, a quase um quilômetro de distância, no lado sul. Porque o sr. Dupper temia que ele tivesse pecados em sua consciência; ao que a sra. Grimsditch retrucaria, bastante dura, que a maioria de nós também tinha; e a sra. Stewkley, a sra. Field e a velha aia Carpenter levantariam as vozes em louvor de sua senhoria; e os criados e mordomos jurariam que era uma grande pena ver um nobre tão bom se lamentando pela casa quando poderia estar caçando raposas ou perseguindo gamos; e até mesmo as pequenas lavadeiras e copeiras, as Judy e as Faith, que serviam as canecas e os bolos, entoavam seu testemunho da nobreza de seu senhor; pois nunca houve cavalheiro mais gentil, ou mais liberal com aquelas moedinhas de prata que servem para comprar um nó de fita ou colocar uma flor no cabelo; até mesmo a criada negra a quem chamavam de Grace Robinson, para fazer dela uma mulher cristã, entendia a posição deles, e concordava que sua senhoria era um cavalheiro bonito, agradável e querido, e isso da única maneira que ela conseguia, isto é, expondo todos os dentes em um largo sorriso. Em suma, todos os criados, homens e mulheres, tinham por ele um grande respeito e amaldiçoavam a princesa estrangeira (mas a chamavam por um nome mais grosseiro que esse) que o levara àquela situação.

Mas, embora fosse covardia ou amor pela cerveja quente o que levava o sr. Dupper a imaginar seu senhor seguro entre as tumbas de forma que não precisava ir à sua procura, podia muito bem ser que o sr. Dupper tivesse razão. Orlando sentia agora um estranho prazer em ideias de morte e decadência, e, depois de passear pelas longas galerias e salões de baile com uma vela na mão, de olhar quadro após quadro como se procurasse a semelhança com alguém que não conseguia encontrar, ele subia à capela da família e ficava horas sentado, olhando os estandartes ondularem, o luar oscilar com um morcego ou mariposa para lhe fazer companhia. Mesmo isso não lhe bastava, e tinha de descer à cripta onde jaziam seus ancestrais, caixão empilhado sobre caixão, dez gerações juntas. O lugar era visitado tão raramente que os ratos tinham soltado as telas de chumbo, e então um osso da coxa enganchava em sua capa ao passar, ou ele esmagava o crânio de algum velho sir Malise que rolara debaixo de seus pés. Era um sepulcro horrendo; escavado muito abaixo dos alicerces da casa, como se o primeiro lorde da família, que viera da França com o Conquistador, desejasse atestar que toda pompa se constrói sobre a corrupção; que o esqueleto está debaixo da carne; que nós, que dançamos e cantamos acima, teremos de jazer abaixo; que o veludo carmesim se transforma em pó; que o anel (aqui, Orlando, curvado sobre o lampião, pegava um círculo de ouro em que faltava a pedra e que rolara para um canto) perde seu rubi e o olho que era tão lustroso já não brilha mais.

— Nada resta de todos esses príncipes — disse Orlando, entregando-se a um exagero perdoável à sua posição — a não ser um dedo — e pegou a mão de um esqueleto, dobrou as articulações para cá e para lá. — De quem era esta mão? — perguntou então. — Direita ou esquerda? Mão de homem ou de mulher, de velho ou jovem? Teria atiçado um cavalo de guerra ou usado a agulha? Teria colhido a rosa ou manejado o frio aço? Teria... — Mas aqui ou sua imaginação falhou ou, o que é mais provável, forneceu-lhe tantos exemplos do que uma mão pode fazer que ele recuou, como de costume, diante do trabalho cardinal da composição, que é excisão, e colocou a mão junto com os outros ossos, e lembrou que havia um escritor chamado Thomas Browne, doutor em Norwich, cujos escritos sobre tais assuntos dominavam de forma surpreendente a sua imaginação. Então, pegou o lampião e viu se os ossos estavam em ordem, porque, embora romântico, ele era singularmente metódico e detestava até mesmo um novelo de barbante no chão, quanto mais o crânio de um ancestral, e voltou àquele ritmo curioso e taciturno de caminhar pelas galerias em busca de algo entre os quadros, o que acabou interrompido por um verdadeiro espasmo de choro, ao ver uma cena de neve holandesa de um artista desconhecido. Então, pareceu-lhe que a vida não valia mais a pena ser vivida. Esqueceu os ossos dos ancestrais e que a vida gira em torno do túmulo, e ali ficou sacudido pelo pranto, tudo pelo desejo por uma mulher de calça russa, olhos oblíquos, lábios projetados como num beijo e pérolas no pescoço. Ela tinha ido embora. Ela o tinha deixado. Ele nunca mais iria vê-la. E então ele chorou. Então encontrou o caminho de volta para seus aposentos; e a sra. Grimsditch, ao ver a luz na janela, afastou a caneca dos lábios e disse:

— Louvado seja Deus.

O lorde seu senhor estava seguro em seu quarto novamente; porque ela pensara durante todo esse tempo que ele tinha sido maldosamente assassinado.

Orlando então aproximou a cadeira da mesa; abriu as obras de sir Thomas Browne e começou a investigar a delicada articulação de uma das reflexões mais longas e maravilhosamente tortuosas do médico.

Porque, embora estes não sejam assuntos sobre os quais um biógrafo deva se debruçar com proveito, fica bastante claro, para quem fez seu papel de leitor na construção, a partir de pistas simples encontradas aqui e ali, todo o limite e circunferência de uma pessoa viva; ele pode ouvir no que nós apenas sussurramos uma voz viva; pode ver, muitas vezes quando não dizemos nada a respeito, qual era exatamente sua aparência; sabe, sem uma palavra para orientá-lo, exatamente o que ele pensava (e é para leitores como esses que escrevemos), fica então claro, para tal leitor, que Orlando era estranhamente composto de muitos humores: melancolia, indolência, paixão, amor pela solidão, sem falar de todas as contorções e sutilezas de temperamento indicadas na primeira página, quando fatiava a cabeça de um negro morto; a fazia cair; pendurava cavalheirescamente fora de seu alcance outra vez e, em seguida, colocava-se no banco da janela com um livro. O gosto por livros veio cedo. Quando criança, um pajem às vezes o encontrava lendo à meia-noite. Levaram embora a sua vela e ele criou pirilampos para servir a seu propósito. Levaram embora os pirilampos, e ele quase queimou a casa com uma mecha. Em resumo, deixando o romancista a alisar a seda e todas as suas implicações, ele era um nobre afligido pelo amor à literatura. Muita gente em sua época, ainda mais de sua posição, escapava da infecção e, portanto, tinha liberdade para correr, cavalgar ou fazer amor à sua própria e doce vontade. Mas alguns eram infectados cedo por um germe que diziam ser produzido pelo pólen do asfódelo e que viera voando da Grécia e da Itália, de natureza tão mortal que fazia tremer a mão que se erguia para bater, nublava o olho que procurava uma presa, fazia a língua gaguejar ao declarar amor. A natureza fatal dessa doença colocava um fantasma no lugar da realidade, de modo que a Orlando, que a fortuna brindara com todos os bens (prataria, lençóis, casas, criados, tapetes, camas em profusão), bastava abrir um livro para toda essa vasta acumulação se transformar em névoa. Os nove acres de pedra que eram a sua casa sumiam; os cento e cinquenta empregados desapareciam; os oitenta cavalos de montaria ficavam invisíveis; levaria muito tempo para contar os tapetes, sofás, adornos, porcelana, pratos, galhetas, rescaldos e outros objetos, muitas vezes de ouro batido, que se evaporava como névoa do mar no miasma. Assim era, e Orlando sentado sozinho a ler era um homem nu.

A doença depressa o dominou em sua solidão. Muitas vezes, lia durante seis horas noite adentro; e quando vinham a ele para as ordens sobre o abate do gado ou a colheita do trigo, ele afastava o livro fólio e parecia não entender o que diziam. Isso não era nada bom e apertava o coração de Hall, o falcoeiro, de Giles, o cavalariço, da sra. Grimsditch, a governanta, do sr. Dupper, o capelão. Um bom cavalheiro como aquele, diziam, não precisava de livros. Que ele deixe livros para os paralíticos ou moribundos, diziam. Mas o pior estava por vir. Uma vez que a doença da leitura se instala no organismo, ela o enfraquece e o torna presa fácil para aquele outro flagelo que mora no tinteiro e infecciona na pena. A vítima passa a escrever. E, embora isso já seja bem ruim para um homem pobre, cujas únicas posses são uma cadeira e uma mesa debaixo de um telhado gotejante, pois ele não tem muito a perder, afinal, a situação para um homem rico, que tem casas e gado, criados, jumentos e lençóis, e mesmo assim escreve livros, é lamentável ao extremo. Ele perde o gosto por tudo; se vê crivado por ferros quentes; roído por vermes. Daria cada centavo que tem (tamanha é a malignidade do germe) para escrever um livrinho e ficar famoso; no entanto, nem todo o ouro do Peru lhe compra o tesouro de uma linha bem escrita. Ele então cai na consumição e na doença, explode os miolos, vira o rosto para a parede. Não importa em que atitude o encontrem. Ele atravessou os portões da Morte e conheceu as chamas do Inferno.

 Felizmente, Orlando tinha uma constituição forte e a doença (por razões que logo serão dadas) nunca o derrubou como derrubou muitos de seus pares. Mas ele ficou profundamente abalado por ela, como mostra o que vem a seguir. Porque depois de ler sir Thomas Browne por uma hora ou mais, quando o bramir do gamo e o grito do vigia noturno mostraram que era alta noite e tudo dormia tranquilo, ele atravessou a sala, tirou do bolso uma chave de prata e destrancou as portas de um grande armário embutido no canto. Dentro, havia cerca de cinquenta gavetas de cedro e em cada uma um papel com a letra de Orlando. Ele fez uma pausa, como se hesitasse qual abrir. Numa estava escrito *A morte de Ajax*, em outra *O nascimento de Pyramus*, em outra *Ifigênia em Aulis*, em outra *A morte de Hipólito*, em outra *Meleagro*, em outra *O retorno de Odisseu*; de fato, não havia quase nenhuma gaveta que não tivesse o nome de algum personagem mitológico em crise em seu percurso. Em cada gaveta havia um documento de tamanho considerável, escrito pela mão de Orlando. A verdade é que Orlando sofria assim havia muitos anos. Nenhum menino jamais implorou por maçãs como Orlando implorava por papel; nem doces como ele implorava por tinta. Furtava-se a conversas e jogos, e com um tinteiro na mão, uma pena na outra, e no colo um rolo de papel, escondia-se atrás de cortinas, nos esconderijos de padres, no armário atrás do quarto da mãe que tinha um grande buraco no chão e cheirava horrivelmente a esterco de estorninho. Assim, antes de completar vinte e cinco anos, tinha escrito cerca de quarenta e sete peças, contos, romances, poemas; alguns em prosa, alguns em verso; alguns em francês, alguns em italiano; todos românticos, e todos longos. Um dos escritos ele mandara imprimir por John Ball da Feathers and Coronet em frente à St. Paul's Cross, em Cheapside; mas, embora olhar para ele lhe desse extremo prazer, nunca ousara mostrá-lo nem mesmo à mãe, uma vez que escrever, e principalmente publicar, era, ele sabia, uma imperdoável desgraça para um nobre.

Agora, porém, que era madrugada e ele estava sozinho, escolheu desse repositório um volume grosso intitulado *Xenophila, uma tragédia* ou algum título assim, e um fino, intitulado simplesmente *O carvalho* (*The Oak Tree*, era o único título em monossílabos), e então pegou o tinteiro, manuseou a pena e fez outros passes desses com que os dependentes desse vício começam os seus ritos. Mas fez uma pausa.

Como essa pausa foi de extrema importância na história dele, na verdade, mais ainda do que muitos atos que põem os homens de joelhos e fazem os rios correrem com sangue, cabe-nos perguntar por que ele fez uma pausa; e responder, depois da devida reflexão, que foi por algum motivo como o seguinte. A natureza, que nos pregou tantas peças estranhas, fazendo-nos tão desiguais de barro e diamantes, de arco-íris e granito, e nos enfiou numa caixa, muitas vezes da maior incongruência, pois o poeta tem cara de açougueiro e o açougueiro de poeta; a natureza, que se diverte com a confusão e o mistério, de modo que, mesmo agora (primeiro de novembro de 1927), não sabemos por que fomos ao andar de cima, ou por que descemos de novo, nossos movimentos mais cotidianos são como a passagem de um navio num mar desconhecido, e os marinheiros no alto do mastro perguntam, com a luneta apontada para o horizonte: existe terra ou não?, a que, se formos profetas, respondemos "sim"; se formos verdadeiros, dizemos "não"; a natureza, que tem tanto a responder, além da talvez canhestra duração desta frase, complicou ainda mais sua tarefa e aumentou nossa confusão ao colocar dentro de nós não apenas um saco perfeito de bugigangas (um pedaço da calça de um policial lado a lado com o véu de casamento da rainha Alexandra), mas planejou que toda a coleção seja ligeiramente costurada por um único fio. A memória é a costureira, e bem caprichosa. A memória passa a agulha para dentro e para fora, para cima e para baixo, aqui e ali. Não sabemos o que vem a seguir, ou depois. Assim, o movimento mais comum do mundo, como se sentar a uma mesa e puxar o tinteiro em sua direção, pode agitar mil fragmentos únicos, desconectados, ora brilhantes, ora obscuros, suspensos, oscilantes, que ondulam e tremulam, como a roupa de baixo de uma família de quatorze pessoas no varal numa rajada de vento. Em vez de uma obra única, pura e simples, da qual nenhum homem se envergonharia, nossos atos mais comuns ocorrem com um bater e tremular de asas, um subir e baixar de luzes. E assim, Orlando, ao mergulhar a pena na tinta, viu o rosto dissimulado da princesa perdida e de imediato fez a si mesmo um milhão de perguntas que eram como flechas mergulhadas em fel. Onde estava ela; por que o tinha deixado? O embaixador era seu tio ou seu amante? Tinham conspirado? Ela fora forçada? Era casada? Estava morta?" Todas injetavam nele de tal forma seu veneno que, como se pudesse desabafar sua agonia em algum lugar, ele mergulhou a pena tão fundo no tinteiro que a tinta espirrou sobre a mesa, ato esse que explica como se pode (e talvez nenhuma explicação seja possível, a memória é inexplicável) de imediato substituir o rosto da princesa por um rosto muito diferente. Mas de quem era, perguntou a si mesmo? E teve de esperar, talvez meio minuto, a olhar a nova imagem sobreposta à antiga, como se entrevê um slide através do próximo, antes que ele pudesse dizer a si mesmo: "Esse é o rosto daquele homem bem gordo e maltrapilho sentado na sala de Twitchett tantos e tantos anos atrás, quando a velha rainha Bess veio jantar aqui; e eu o vi", Orlando continuou, apegado a outro daqueles trapinhos coloridos, "sentado à mesa, quando eu espiei a caminho do andar de baixo, e ele tinha os olhos mais incríveis que já existiram", disse Orlando, "mas quem diabos era ele?", Orlando perguntou, porque aqui a memória acrescentou à testa e aos olhos, primeiro uma gola de rufos rústica e engordurada, depois um gibão marrom e, finalmente, um par de botas grossas, como as que os cidadãos usam em Cheapside. "Não é um nobre; não é um de nós", disse Orlando (coisa que não diria em voz alta, porque era o mais cortês dos cavalheiros; mas isso mostra o efeito que o nascimento nobre tem sobre a mente e, incidentalmente, como é difícil para um nobre ser escritor), "um poeta, ouso dizer". Segundo todas as leis, a memória já o perturbara o suficiente e deveria agora apagar completamente a coisa toda, ou produzir algo tão idiota e fora de propósito, como um cachorro que persegue um gato ou uma velha que assoa o nariz em um lenço de algodão vermelho, que, no desespero de acompanhar o ritmo de seus caprichos, Orlando deveria correr a sério a pena sobre o papel. (Porque podemos, se temos a determinação, expulsar de casa a descarada Memória, e toda sua ralé de desordeiros.) Mas Orlando fez uma pausa. A memória ainda punha diante dele a imagem de um homem maltrapilho com olhos grandes e brilhantes. Ele olhou ainda, ainda fez uma pausa.

Essas pausas é que são a nossa ruína. É aí que a revolta entra na fortaleza e nossas tropas se levantam em insurreição. Uma vez antes, ele fizera uma pausa, e o amor, com horrível fragor, charamelas, címbalos e cabeças com mechas ensanguentadas arrancadas dos ombros, o invadira. Por amor, ele sofrera as torturas dos condenados. Agora, fez outra vez uma pausa, e no espaço assim aberto, saltou Ambição, a megera, Poesia, a bruxa, Desejo de Fama, a meretriz; todas deram-se as mãos e fizeram de seu coração uma pista de dança. Parado muito ereto na solidão de seu quarto, ele jurou que seria o primeiro poeta de sua casta e conquistaria brilho imortal para seu nome. Ele disse (recitando os nomes e façanhas de seus ancestrais) que sir Boris lutou e matou os paynim; sir Gawain, os turcos; sir Miles, os poloneses; sir Andrew, os francos; sir Richard, os austríacos; sir Jordan, os franceses; e sir Herbert, os espanhóis. Mas de toda essa matança e campanhas, de beber e fazer amor, gastar, caçar, cavalgar e comer, o que restou? Uma caveira; um dedo. Enquanto que, disse ele, ao virar uma página de sir Thomas Browne, aberto sobre a mesa; e novamente fez uma pausa. Como um encantamento que se erguia de todas as partes da sala, do vento noturno e do luar, rolou a divina melodia daquelas palavras que, para que não suplantem esta página, deixaremos onde jazem sepultadas, não mortas, mas embalsamadas, tão fresco seu colorido, tão firme sua respiração; e Orlando, comparando essa realização com as de seus ancestrais, gritou que eles e suas ações eram pó e cinzas, mas este homem e suas palavras eram imortais.

    Ele logo percebeu, no entanto, que as batalhas que sir Miles e os outros tinham lutado contra cavaleiros armados para ganhar um reino não eram nem a metade tão árduas como esta em que ele agora se empenhava para conquistar a imortalidade contra a língua inglesa. Qualquer pessoa medianamente familiarizada com os rigores da composição não precisa que a história lhe seja contada em detalhes: como ele escrevia e parecia bom; lia e parecia vil; corrigia e rasgava; cortava; acrescentava; ficava em êxtase; em desespero; teve suas noites boas e manhãs ruins; agarrava ideias e as perdia; via seu livro bem na sua frente e ele desaparecia; representava as partes de seus personagens enquanto comia; murmurava suas vozes quando caminhava; ora chorava; ora ria; vacilava entre este estilo e aquele; ora preferia o heroico e pomposo; em seguida, o puro e simples; ora os vales de Tempe; depois os campos de Kent ou Cornualha; e não conseguia decidir se ele era o gênio mais divino ou o maior tolo do mundo.

Foi para resolver esta última questão que ele decidiu, depois de muitos meses de trabalho febril, romper a solidão de anos e se comunicar com o mundo exterior. Tinha um amigo em Londres, um certo Giles Isham, de Norfolk, que, embora de nascimento aristocrático, conhecia escritores e poderia, sem dúvida, colocá-lo em contato com algum membro dessa fraternidade abençoada, de fato sagrada. Pois, para Orlando, no estado em que agora estava, havia tal glória no homem que escrevera um livro e o publicara, que todas as glórias do sangue e das posses eram ofuscadas. Em sua imaginação, parecia que até mesmo os corpos daqueles instalados com tais pensamentos divinos deviam ser transfigurados. Deviam ter auréolas no lugar do cabelo, incenso no da respiração e certamente cresciam rosas entre seus lábios, o que não era verdade quanto a ele mesmo nem ao sr. Dupper. Ele não conseguia pensar em felicidade maior do que ter permissão para se sentar atrás de uma cortina e ouvi-los falar. Até mesmo a imaginação desse discurso ousado e variado fazia parecer brutal ao extremo a lembrança do que ele conversava com seus amigos da corte: um cachorro, um cavalo, uma mulher, um jogo de cartas. Ele se lembrou com orgulho de ter sido sempre chamado de intelectual, e de zombarem de seu amor por solidão e livros. Ele nunca fora capaz de frases bonitas. Ficava imóvel, enrubescia e andava como um granadeiro na sala de uma dama. Por pura abstração, caíra duas vezes do cavalo. Uma vez, quebrou o leque de lady Winchilsea ao fazer uma rima. Ao relembrar muito sério esses e outros exemplos de sua incapacidade para a vida de sociedade, era tomado por uma esperança inefável de que todas as turbulências de sua juventude, sua falta de jeito, seu rubor, suas longas caminhadas e seu amor pelo campo comprovassem que ele próprio pertencia à estirpe sagrada e não à nobreza: era um escritor de nascença, em vez de aristocrata. Pela primeira vez desde a noite da grande enchente, ele estava feliz.

Ele então encarregou o sr. Isham, em Norfolk, de entregar ao sr. Nicholas Greene, de Clifford's Inn, um documento que expunha a admiração de Orlando por suas obras (Nick Greene era um escritor muito famoso na época) e seu desejo de conhecê-lo; que ele mal ousou perguntar; uma vez que não tinha nada para oferecer em troca; mas, se o sr. Nicholas Greene condescendesse em visitá-lo, uma carruagem com quatro cavalos estaria na esquina da Fetter Lane a qualquer hora que o sr. Greene escolhesse, para trazê-lo em segurança à casa de Orlando. Pode-se completar as frases que se seguiram; e imaginar a alegria de Orlando quando, sem demora, o sr. Greene expressou aceitar o convite do nobre lorde; tomou seu lugar na carruagem e foi conduzido ao hall do lado sul do edifício principal, pontualmente às sete horas da segunda-feira, dia 21 de abril.

Muitos reis, rainhas e embaixadores tinham sido recebidos ali; juízes ali estiveram com seus arminhos. As damas mais adoráveis ali estiveram; e os mais bravos guerreiros. Havia ali estandartes que tinham estado em Flodden e em Agincourt. Havia em exposição brasões pintados com leões, leopardos e coroas. Havia longas mesas com serviço de ouro e prata; e ali a vasta lareira entalhada em mármore italiano, onde todas as noites um carvalho inteiro, com seu milhão de folhas e ninhos de gralha e corruíra, era reduzido a cinzas. Nicholas Greene, o poeta, ali estava agora, vestido simplesmente com seu chapéu desleixado e gibão preto, e carregava na mão uma pequena bolsa.

Era inevitável que Orlando ficasse um pouco decepcionado ao se apressar a cumprimentá-lo. O poeta não tinha mais que estatura mediana; miúda presença; era magro, um tanto curvado e, ao tropeçar no mastim quando entrou, o cachorro o mordeu. Além disso, Orlando, por todo o seu conhecimento sobre a humanidade, ficou intrigado sem saber onde localizá-lo. Havia nele algo que não pertencia a um servo, escudeiro ou nobre. A cabeça, com a testa arredondada e o nariz pontudo, era boa, mas o queixo era recuado. Os olhos brilhavam, mas os lábios pendiam soltos e babavam. Era a expressão do rosto como um todo, porém, que inquietava. Não possuía nada daquela compostura majestosa que torna os rostos da nobreza tão agradáveis de se olhar; nem tinha nada do digno servilismo do rosto de um criado doméstico bem treinado; era um rosto marcado, enrugado e tenso. Poeta como era, parecia estar mais acostumado a repreender do que elogiar; brigar do que seduzir; arrastar-se do que cavalgar; batalhar do que descansar; odiar do que amar. Isso também se revelava pelos movimentos bruscos; e por algo ardente e desconfiado no olhar. Orlando ficou um tanto espantado. Mas foram jantar.

Então, Orlando, que normalmente tomava esse tipo de coisa como natural, se viu, pela primeira vez, inexplicavelmente envergonhado pelo número de criados e o esplendor da mesa. Ainda mais estranho, ele se lembrou com orgulho (porque o pensamento era geralmente desagradável) daquela bisavó Moll que ordenhava vacas. Estava prestes a mencionar de alguma forma essa mulher humilde e seus baldes de leite, quando o poeta se antecipou e disse que era estranho, visto que o nome Greene era tão comum, que a família tivesse vindo com o Conquistador e fosse da mais alta nobreza na França. Infelizmente, eles decaíram e fizeram pouco mais do que deixar seu nome para o distrito real de Greenwich. Outras conversas desse tipo, sobre castelos perdidos, brasões, primos que eram baronetes no norte, casamentos com famílias nobres no oeste, como alguns Green soletravam o nome com um E no final, e outros sem, durou até a carne de caça estar na mesa. Então Orlando se preparou para falar alguma coisa da avó Moll e suas vacas, e tinha aliviado um pouco esse fardo de seu coração quando serviram as aves silvestres. Mas só quando o vinho malvasia foi servido liberalmente que Orlando ousou mencionar o que não podia deixar de considerar um assunto mais importante que os Green ou as vacas; isto é, o tema sagrado da poesia. À primeira menção da palavra, os olhos do poeta se incendiaram; ele abandonou os finos ares de cavalheiro que usara; bateu o copo na mesa, e mergulhou em uma das mais longas, complexas, apaixonadas e amargas histórias que Orlando jamais tinha ouvido, a não ser dos lábios de uma mulher abandonada, sobre uma peça sua; de outro poeta; e de um crítico. Sobre a natureza da poesia em si, Orlando só deduziu que era mais difícil de vender do que a prosa, e, embora as linhas fossem mais curtas, levavam mais tempo para ser escritas. Então a conversa prosseguiu por ramificações intermináveis, até Orlando aventurar-se a insinuar que ele próprio tinha tido a ousadia de escrever; mas nesse ponto o poeta saltou da cadeira. Um rato havia guinchado no lambri, disse ele. A verdade era que seus nervos estavam em tal estado, explicou, que o guincho de um rato o perturbava por quinze dias. Sem dúvida a casa estava cheia de pragas, mas Orlando não tinha ouvido nada. O poeta então contou a história completa de sua saúde nos últimos dez anos ou mais. Tinha sido tão ruim que era de admirar que ainda estivesse vivo. Tivera paralisia, gota, calafrios, hidropisia e três tipos de febre um depois do outro; além do que tinha o coração dilatado, o baço grande e uma doença de fígado. Mas, acima de tudo, disse a Orlando, tinha sensações na espinha que não dava para descrever. Havia um calombo sobre a terceira vértebra a partir do alto que queimava como fogo; outro mais ou menos na segunda de baixo para cima que era frio como gelo. Às vezes, acordava com o cérebro pesado como chumbo; outras, era como se mil velas de cera estivessem acesas e pessoas jogassem fogos de artifício dentro dele. Conseguia sentir uma folha de rosa através do colchão, disse; e orientava-se em Londres quase toda pela sensação do calçamento. No todo, ele era um exemplar de maquinário tão bem feito, tão curiosamente montado (aqui ele levantou a mão como que inconscientemente, e de fato era da melhor forma que se pode imaginar), que o intrigava pensar que vendera apenas quinhentos exemplares de seu poema, mas isso, claro, era em grande parte devido à conspiração contra ele. Tudo o que podia dizer, concluiu, com um soco na mesa, era que a arte da poesia estava morta na Inglaterra.

Orlando não conseguia imaginar como podia ser uma coisa dessas, ao desfiar os nomes de seus heróis favoritos, Shakespeare, Marlowe, Ben Jonson, Browne, Donne, todos escrevendo no momento ou tendo acabado de escrever. Greene deu um riso sarcástico. Shakespeare, admitiu, havia escrito algumas cenas bastante boas; mas as havia tirado principalmente de Marlowe. Marlowe era um menino promissor, mas o que se podia dizer de um sujeito que morre antes dos trinta anos? Quanto a Browne, ele escrevia poesia em prosa, e as pessoas logo se cansam de artifícios assim. Donne era um charlatão que encobria sua falta de sentido com palavras duras. Os tolos levaram a sério; mas o estilo estaria fora de moda em doze meses. Quanto a Ben Jonson... Ben Jonson era seu amigo, e ele nunca falava mal de amigos.

Não, concluiu ele, a grande era da literatura tinha passado; a grande era da literatura era a grega; a era elisabetana era inferior à grega sob todos os aspectos. Nessas eras, os homens alimentavam a ambição divina que poderia se chamar *La Gloire* (ele pronunciava *glór*, de forma que Orlando de início não entendeu seu significado). Agora, todos os jovens escritores estavam a soldo dos livreiros e despejavam qualquer lixo que pudesse vender. Shakespeare era o principal desses transgressores e já estava pagando o preço. A própria época deles, disse, era marcada por preciosas presunções e loucos experimentos, nenhum dos quais os gregos teriam tolerado por um momento. Embora lhe fosse doloroso dizer isso, porque ele amava a literatura tanto quanto amava a vida, ele não via nada de bom no presente e não tinha esperança no futuro. Então serviu-se de outra taça de vinho.

Orlando ficou chocado com essas doutrinas; mas não pôde deixar de observar que o próprio crítico não parecia abalado. Pelo contrário, quanto mais denunciava seu próprio tempo, mais complacente se tornava. Ele se lembrava, disse, de uma noite na Cock Tavern, em Fleet Street, em que Kit Marlowe estava lá e alguns outros. Kit estava ótimo, bastante bêbado, coisa que ficava com facilidade, e disposto a falar bobagens. Podia vê-lo agora, brandindo o copo diante do grupo e soluçando, "Que me mate um raio, Bill", (Bill era Shakespeare), "vem vindo uma grande onda e você está na crista", com o que ele quis dizer, explicou Greene, que estavam no limiar de uma grande era na literatura inglesa, e que Shakespeare seria um poeta de alguma importância. Felizmente para ele, morreu duas noites depois, numa briga de bêbados, e assim não viveu para ver no que deu essa previsão. "Pobre coitado", disse Greene, "dizer uma coisa dessas. Uma grande era, com certeza... a elisabetana, uma grande era!".

– Então, meu caro lorde – continuou ele, e acomodou-se confortavelmente na cadeira, esfregando a taça de vinho entre os dedos –, devemos tirar disso o melhor partido, apreciar o passado e honrar esses escritores; ainda existem alguns deles, que tomam a antiguidade como modelo e escrevem não por dinheiro, mas pela *glór*. – (Para Orlando, seria desejável um sotaque melhor.) – A *glór* – disse Greene – é o estímulo das mentes nobres. Tivesse eu uma pensão de trezentas libras anuais, pagas trimestralmente, viveria apenas para a *glór*. Ficaria deitado na cama todas as manhãs, lendo Cícero. Imitaria seu estilo de modo que não se pudesse diferenciar entre nós. É o que eu chamo boa escrita – disse Greene –; é isso que chamo de *glór*. Mas é preciso ter uma pensão para isso.

A essa altura, Orlando havia abandonado toda esperança de discutir seu próprio trabalho com o poeta; mas isso pouco importava, uma vez que a conversa agora girava sobre as vidas e personagens de Shakespeare, Ben Jonson e os outros, todos que Greene conhecia intimamente e sobre os quais tinha mil anedotas do tipo mais divertido. Orlando nunca dera tanta risada em sua vida.

Então, eram esses os seus deuses! Metade, bêbados, e todos libertinos. A maioria deles brigava com as esposas; nenhum deles estava acima de uma mentira ou das mais torpes intrigas. A poesia deles era rabiscada no verso das listas da lavadeira apoiadas na cabeça de aprendizes de impressor na porta da rua. Assim Hamlet foi para impressão; e Lear; e Otelo. Não é de admirar, como disse Greene, que essas peças apresentem as falhas que apresentam. O restante do tempo era gasto em farras e banquetes em tavernas e cervejarias ao ar livre, quando diziam coisas que faziam opinião passar por inteligência, e faziam coisas que fariam até as maiores libertinagens de cortesãos empalidecerem em comparação. Tão espirituoso era tudo o que Greene contava que despertava em Orlando o mais alto grau de prazer. Ele tinha uma capacidade de mimetismo que trazia os mortos de volta à vida, e era capaz de dizer as melhores coisas de livros, desde que tivessem sido escritos trezentos anos atrás.

 O tempo passou e Orlando sentia por seu convidado uma estranha mistura de carinho e desdém, de admiração e piedade, assim como alguma outra coisa indefinida que podia ser chamada por qualquer nome, mas continha algo de medo e algo de fascinação. Ele falava incessantemente sobre si mesmo, mas era tão boa companhia que se podia ouvir para sempre a história de suas febres. E era tão espirituoso; tão irreverente; tão liberal com os nomes de Deus e da mulher; tão cheio de habilidades estranhas e guardava na cabeça tão estranho conhecimento; sabia fazer salada de trezentos jeitos diferentes; sabia tudo o que se podia saber sobre a mistura de vinhos; tocava meia dúzia de instrumentos musicais e foi a primeira pessoa, e talvez a última, a tostar queijo na grande lareira italiana. Ele não distinguia um gerânio de um cravo, um carvalho de uma bétula, um mastim de um galgo, uma corça de uma ovelha, trigo de cevada, terra arada de campo de pousio; ignorava a rotação das safras; achava que as laranjas cresciam no subsolo e nabos nas árvores; preferia qualquer paisagem urbana a qualquer paisagem campestre; tudo isso e muito maravilhava Orlando, que nunca conhecera nenhuma pessoa desse tipo. Até as empregadas, que o desprezavam, riam de suas piadas, e os criados, que o abominavam, paravam para ouvir suas histórias. Na verdade, a casa nunca esteve tão animada como agora que ele estava ali; tudo isso deu a Orlando muito o que pensar e fez com que ele comparasse esse seu modo de vida com o antigo. Lembrou-se do tipo de conversa a que estava acostumado, sobre a apoplexia do rei da Espanha ou o acasalamento de uma cadela; pensou em como passava seus dias, entre os estábulos e o guarda-roupas; lembrou-se de como os lordes roncavam sobre o vinho e odiavam qualquer um que os acordasse. Lembrou-se de como eram ativos e valentes no corpo; mas preguiçosos e tímidos na mente. Preocupado com esses pensamentos, e incapaz de encontrar um equilíbrio adequado, ele chegou à conclusão de que tinha admitido em sua casa um espírito irritante que nunca mais o deixaria dormir bem.

No mesmo momento, Nick Greene chegou à conclusão exatamente oposta. Deitado na cama de manhã, nos travesseiros mais macios, entre os lençóis mais lisos e olhando para fora de sua sacada envidraçada sobre a relva que durante séculos nunca viram nem dente-de-leão, nem erva daninha, ele pensou que, a menos que escapasse de alguma forma, seria sufocado vivo. Levantou-se, ouviu os pombos arrulharem, vestiu-se, ouviu as fontes jorrando, e pensou que, a menos que pudesse ouvir o ronco das carretas nas pedras de Fleet Street, nunca mais escreveria uma linha. Se isso continuar por muito tempo, pensou, ao ouvir o lacaio acertar o fogo e servir a mesa com pratos de prata na sala ao lado, vou dormir (aqui ele deu um bocejo prodigioso) e morrer dormindo.

Então procurou Orlando em seu quarto e explicou que não tinha conseguido dormir a noite inteira por causa do silêncio. (De fato, a casa era cercada por um parque de vinte e quatro quilômetros de circunferência e um muro de três metros de altura.) O silêncio, disse ele, era a coisa mais opressora para seus nervos.

Naquela mesma manhã, com a licença de Orlando, ele encerraria sua visita. Orlando sentiu algum alívio com isso, mas também uma grande relutância em deixá-lo ir. A casa, pensou, pareceria muito tediosa sem ele. Na despedida (pois ele não tivera a coragem de falar no assunto), ousou empurrar sua peça sobre a *Morte de Hércules* para o poeta e pedir a sua opinião. O poeta a pegou; murmurou alguma coisa sobre *glór* e Cícero, que Orlando interrompeu com a promessa de pagar a pensão trimestral; ao que Greene, com muitos protestos de afeto, embarcou na carruagem e foi embora.

O grande salão nunca pareceu tão grande, tão esplêndido, tão vazio quando a carruagem rodou embora. Orlando sabia que ele nunca mais se animaria a fazer queijo tostado na lareira italiana. Nunca teria o engenho de fazer piadas sobre quadros italianos; nunca teria a habilidade para misturar o ponche como deve ser misturado; seria privado de mil anedotas engraçadas e excêntricas. No entanto, que alívio estar livre do som daquela voz queixosa, que luxo estar sozinho outra vez, então não poderia deixar de refletir, enquanto soltava o mastim, preso durante essas seis semanas porque não podia ver o poeta sem mordê-lo.

Nick Greene foi deixado na esquina da Fetter Lane nessa mesma tarde, e descobriu que as coisas continuavam exatamente como as havia deixado. Isto é, a sra. Greene estava dando à luz um bebê em um quarto; Tom Fletcher bebia gim em outro. Havia livros caídos por todo o chão; o jantar, pois disso se tratava, servido em uma penteadeira onde as crianças tinham feito tortas de lama. Mas esse, Greene sentiu, era o clima para escrever, ali ele conseguiria escrever, e escreveu. O assunto estava pronto para ele. Um nobre lorde em casa. Uma visita a um nobre no campo, seu novo poema teria um título assim. Greene pegou a pena com a qual seu filho fazia cócegas na orelha do gato, molhou-a no oveiro que servia de tinteiro e de imediato produziu uma sátira muito espirituosa. Escrita de tal forma que ninguém duvidaria que o jovem lorde posto no fogo fosse Orlando; suas palavras e seus atos mais privados, seus entusiasmos e suas loucuras, até a própria cor do cabelo e o jeito estrangeiro que tinha de rolar os erres, eram muito fiéis. E, caso houvesse alguma dúvida, Greene resolveu a questão introduzindo, quase sem disfarce, passagens da tragédia aristocrática, *A Morte de Hércules*, que, conforme ele esperava, achou extremamente prolixa e bombástica.

O panfleto, que imediatamente teve várias edições, e pagou as despesas do décimo resguardo pós-parto da sra. Greene, foi logo enviado ao próprio Orlando por amigos que cuidam dessas coisas. Quando Orlando terminou, o que fez com mortal compostura do início ao fim, tocou para o criado; entregou o documento na ponta de uma pinça; ordenou que o jogasse no miolo mais sujo do mais imundo depósito de lixo da propriedade. Então, quando o homem estava se virando para ir embora, ele o deteve.

– Pegue o cavalo mais veloz do estábulo – disse –, galope como se fosse salvar sua vida até Harwich. Lá, embarque em um navio que está com destino à Noruega. Compre para mim, dos próprios canis do rei, os melhores cães elkhound da linhagem real, macho e fêmea. Traga de volta sem demora. Porque – murmurou, quase inaudível, ao voltar para seus livros – para mim acabou-se a espécie humana.

O criado, perfeitamente treinado em suas funções, curvou-se e desapareceu. Cumpriu sua tarefa com tamanha eficiência que estava de volta três semanas depois, levava na mão uma guia com os melhores elkhound, um dos quais, uma fêmea, deu à luz nessa mesma noite uma ninhada de oito bons filhotes debaixo da mesa de jantar. Orlando os levou para seu quarto de dormir.

– Porque – disse –, para mim, acabou-se a espécie humana.

Mesmo assim, pagou a pensão trimestralmente.

Então, aos trinta anos mais ou menos, esse jovem nobre tivera não apenas todas as experiências que a vida tem a oferecer, mas vira a inutilidade de tudo. Amor e ambição, mulheres e poetas eram todos igualmente vaidosos. A literatura era uma farsa. Na noite seguinte à leitura do *Visita a um nobre no campo*, de Greene, ele queimou numa grande fogueira cinquenta e sete obras poéticas e conservou apenas *O carvalho*, que era seu sonho de menino e muito curto. Só lhe restavam duas coisas em que depositava alguma confiança: os cães e a natureza; um elkhound e uma roseira. O mundo, com toda a sua variedade, a vida com toda a sua complexidade, resumia-se a isso. Cachorros e um arbusto eram tudo. Então, sentindo que havia deixado para trás uma vasta montanha de ilusão, e estava consequentemente muito nu, chamou os cães e foi passear pelo parque.

Havia tanto tempo estava recluso, escrevendo e lendo, que tinha quase esquecido as amenidades da natureza, que em junho podem ser muitas. Quando atingiu aquele morro alto do qual, em dias bons, podia-se ver metade da Inglaterra e mais uma fatia de Gales e da Escócia, jogou-se debaixo de seu carvalho favorito e sentiu que, se nunca mais precisasse falar com outro homem ou mulher enquanto vivesse; se seus cães não desenvolvessem a capacidade de falar; se nunca mais encontrasse um poeta ou uma princesa, poderia viver os anos que lhe restassem suportavelmente satisfeito.

Lá foi ele então, dia após dia, semana após semana, mês após mês, ano após ano. Viu as faias ficarem douradas e as jovens samambaias se desenrolarem; viu a lua em foice e depois circular; viu... mas provavelmente o leitor consiga imaginar a passagem que deveria vir a seguir, como se descreve que cada árvore e planta dos arredores fica primeiro verde, depois dourada; que luas nascem e sóis se põem; que a primavera vem depois do inverno e o outono, do verão; que a noite sucede o dia e o dia, a noite; que há primeiro uma tempestade, depois tempo bom; que as coisas permanecem muito como estão por duzentos, trezentos anos ou mais, a não ser por um pouco de poeira e algumas teias de aranha que uma velha pode varrer em meia hora; uma conclusão que não se pode evitar e à qual se poderia chegar mais depressa com a simples declaração de que "O tempo passou" (aqui a quantidade exata pode ser indicada entre colchetes) e absolutamente nada aconteceu.

Mas o Tempo, infelizmente, embora faça com que animais e vegetais floresçam e desapareçam com incrível pontualidade, não tem efeito tão simples sobre a mente do homem. A mente do homem, além disso, trabalha com igual estranheza sobre o corpo de tempo. Uma hora, uma vez alojada no estranho elemento que é o espírito humano, pode se esticar cinquenta ou cem vezes mais que a duração do relógio; por outro lado, uma hora pode ser representada com precisão como um segundo no relógio da mente. Essa extraordinária discrepância entre o tempo do relógio e o tempo da mente é menos conhecida do que deveria ser e merece uma investigação mais completa. Mas o biógrafo, cujos interesses são, como dissemos, extremamente restritos, deve se limitar a uma simples afirmação: quando um homem atinge os trinta anos, como Orlando tinha agora, o tempo, quando ele pensa, torna-se muito longo; quando está agindo, torna-se muito curto. Assim, Orlando dava suas ordens e cuidava dos negócios de suas vastas propriedades num piscar de olhos; mas, assim que ficava sozinho no morro, debaixo do carvalho, os segundos começavam a girar e inchar até parecer que nunca terminariam. Além disso, eles se preenchiam com a mais estranha variedade de objetos. Pois não só ele se via diante de problemas que intrigam o mais sábio dos homens, como O que é o amor? O que é a amizade? O que é a verdade?, como, assim que pensava sobre eles, todo o seu passado, que lhe parecia extremamente extenso e variado, corria no segundo que passava, inchava-se uma dúzia de vezes além de seu tamanho natural, colorido com mil tonalidades e preenchido com todas as possibilidades do universo.

Em tais ideias (ou seja qual for o nome que se dê a elas) ele gastou meses e anos de sua vida. Não seria exagero dizer que ele saía depois do café da manhã um homem de trinta anos e voltava para o jantar um homem de pelo menos cinquenta e cinco anos. Algumas semanas acrescentavam um século à sua idade, outras não mais do que três segundos, no máximo. Em termos gerais, a tarefa de estimar a duração da vida humana (dos animais preferimos não falar) está além de nossa capacidade, porque, assim que dizemos que é muito longa, lembramos que é mais breve que a queda de uma folha de roseira. Das duas forças que alternadamente, e, o que é ainda mais confuso, no mesmo momento, dominam nosso parvo cérebro: brevidade e diuturnidade, Orlando se via às vezes sob a influência da divindade com pés de elefante, em seguida da mosca de asas rápidas. A vida lhe parecia prodigiosamente longa. Mas, mesmo assim, passava como um relâmpago. Porém, mesmo quando se estendia por mais tempo, os momentos mais inchavam e ele parecia vagar sozinho em desertos de vasta eternidade, não havia tempo para alisar e decifrar aqueles pergaminhos marcados que trinta anos vividos entre homens e mulheres haviam enrolado em seu coração e cérebro. Muito antes que parasse de pensar no Amor (o carvalho criara folhas e derrubara-as ao chão uma dúzia de vezes nesse processo), a Ambição o empurrava para fora do campo, substituída por Amizade ou Literatura. E, como a primeira pergunta não tinha sido respondida (O que é o amor?), ela voltava à menor, ou nenhuma, provocação, e empurrava para a margem livros ou metáforas de por que vivemos, para lá esperar até terem a chance de entrar em campo outra vez. O que tornava o processo ainda mais longo era que vinha profusamente ilustrado, não só com quadros, como o da velha rainha Elizabeth, reclinada em seu sofá estofado de brocado rosa, na mão uma caixa de marfim para rapé e uma espada com punho de ouro ao lado, mas com aromas (ela estava sempre fortemente perfumada) e com sons dos cervos que bramiam em Richmond Park naquele dia de inverno. E, assim, a ideia do amor estaria toda coberta de neve e inverno; com lareiras queimando; com mulheres russas, espadas de ouro e o bramir dos cervos; com o velho rei James babando, fogos de artifício e sacos de tesouro nos porões dos navios à vela elisabetanos. Todas as coisas, quando tentava desalojá-las do lugar em sua mente, descobria que estavam embaraçadas a outras coisas, tal como o pedaço de vidro

que, depois de um ano no fundo do mar, fica cheio de ossos e libélulas, de moedas e tranças de mulheres afogadas.
– Outra metáfora, por Júpiter! – exclamou ele ao dizer isso (o que mostra a maneira desordenada e tortuosa como sua mente funcionava e explica por que o carvalho floresceu e desbotou tantas vezes antes que ele chegasse a qualquer conclusão sobre o Amor). – E qual o sentido disso? – ele perguntava a si mesmo. – Por que não dizer simplesmente com todas as letras... – e então ele tentava pensar por meia hora, ou por dois anos e meio?, como dizer simplesmente com todas as letras o que é o amor. – Uma imagem como essa é manifestamente mentirosa – argumentou –, pois nenhuma libélula, a menos que sob condições muito excepcionais, poderia viver no fundo do mar. E se a literatura não é a Esposa e Parceira de Cama da Verdade, o que é então? "Maldição", gritou ele, "por que dizer Parceira de Cama quando já se disse Esposa? Por que não dizer simplesmente o que se quer dizer e pronto?".

Ele então tentou dizer que a grama é verde e o céu, azul e, assim, aplacar o espírito austero da poesia que ainda, embora a grande distância, ele não podia deixar de reverenciar. "O céu é azul", disse, "a grama é verde". Olhou para cima, e viu que, ao contrário, o céu é como os véus que mil Madonas deixaram cair dos cabelos; e a grama se move e escurece como uma revoada de moças que foge do abraço de sátiros peludos na floresta encantada. "Juro", disse ele (pois tinha o mau hábito de falar em voz alta), "não vejo como uma possa ser mais verdadeira que a outra. Ambas são totalmente falsas". E perdeu a esperança de resolver o problema do que é a poesia e o que é a verdade, e caiu em profundo abatimento.

E aqui uma pausa em seu solilóquio pode ser proveitosa para refletir como é estranho ver Orlando apoiado sobre o cotovelo em um dia de junho e refletir que esse bom sujeito, em pleno domínio de todas as suas faculdades e de um corpo saudável, como atestam o rosto e os membros, um homem que nunca pensou duas vezes antes de liderar um ataque ou lutar um duelo, tenha se sujeitado à letargia de pensamento, e se tornado tão suscetível por causa dele, que, quando chegava à questão da poesia, ou de sua competência para ela, ficava tão tímido quanto uma menina atrás da porta do chalé da mãe. Em nossa opinião, a maneira como Greene ridicularizou sua tragédia o feriu tanto quanto o ridículo da princesa de seus amores. Mas voltemos: Orlando continuou pensando. Olhava a grama e o céu e tentava relembrar o que o verdadeiro poeta, que tem seus versos publicados em Londres, diria sobre eles. Nesse meio-tempo, a memória (cujos hábitos já foram descritos) manteve firme diante de seus olhos o rosto de Nicholas Greene, como se aquele homem sardônico e boquirroto, traiçoeiro como se revelou, fosse a Musa em pessoa, e a ele que Orlando devesse homenagem. Então Orlando, naquela manhã de verão, ofereceu-lhe uma variedade de frases, algumas simples, outras figuradas, e Nick Greene sacudia a cabeça, zombava e murmurava alguma coisa sobre *glór* e Cícero e a morte da poesia em nosso tempo. Por fim, pondo-se de pé (era inverno e muito frio), Orlando fez um dos juramentos mais notáveis de sua época, pois o submetia à mais estrita das servidões. "Que me atinja um raio", disse ele, "se eu escrever ou tentar escrever uma palavra mais para agradar a Nick Greene ou à Musa. Ruim, bom ou indiferente, a partir de hoje escreverei para agradar a mim", e fez como se rasgasse toda uma pilha de papéis e os jogasse na cara daquele homem boquirroto. E então, como um cão de rua que se encolhe quando se atira nele uma pedra, a Memória recolheu a efígie de Nick Greene; e a substituiu por... por absolutamente nada.

Mas, mesmo assim, Orlando continuou pensando. Tinha realmente muito em que pensar. Pois, quando rasgou o pergaminho, ele rasgou, em um só gesto, o rolo de pergaminho brasonado que havia feito a seu favor na solidão de seu quarto nomeando a si mesmo, como o rei nomeia embaixadores, o primeiro poeta de sua estirpe, o primeiro escritor de sua época, conferindo imortalidade eterna a sua alma e concedendo a seu corpo uma sepultura entre louros e os intangíveis estandartes da perpétua reverência de um povo. Por mais eloquente que fosse, ele agora o rasgou e jogou na lata de lixo. "A fama", disse (e, uma vez que não havia Nick Greene para impedi-lo, passou a deleitar-se com as imagens das quais escolheremos apenas uma ou duas das mais discretas), "é como uma farda engalanada que atrapalha os membros; um paletó de prata que restringe o coração; um escudo pintado que protege um espantalho" etc. etc. O cerne de suas frases era que, enquanto a fama impede e constrange, o anonimato envolve um homem como uma névoa; o anonimato é escuro, amplo e livre; o anonimato permite que a mente siga seu caminho sem obstáculos. Sobre o homem obscuro derrama-se o misericordioso extravasamento das trevas. Ninguém sabe aonde ele vai ou vem. Ele pode buscar a verdade e pô-la em palavras; só ele é livre; só ele é verdadeiro; só ele está em paz. E Orlando então mergulhou num clima tranquilo, debaixo do carvalho, cujas duras raízes, expostas acima do solo, lhe pareceram até confortáveis.

Mergulhado por longo tempo em pensamentos profundos quanto ao valor do anonimato, e o prazer de não ter nome, mas ser como uma onda que volta ao corpo profundo do mar; pensava que o anonimato liberta a mente do fastio da inveja e do rancor; que faz correr nas veias as águas livres da generosidade e magnanimidade; e permite dar e receber sem o dever do agradecimento ou do elogio; que devia ter sido o caminho de todos os grandes poetas, e supunha (embora seu conhecimento de grego não fosse suficiente), assim pensava, que Shakespeare devia ter escrito assim, e os construtores de igrejas construído assim, anonimamente, sem precisar de agradecimentos nem de identificação, mas apenas de seu trabalho durante o dia e um pouco de cerveja à noite talvez. "Que vida admirável essa", pensou ele, esticando os membros debaixo do carvalho. "E por que não aproveitá-la agora mesmo?". A ideia o atingiu como uma bala. A ambição despencou como num mergulho. Livre da mágoa do amor rejeitado e da vaidade reprovada, e de todas as outras picadas e arranhões que o canteiro de urtigas da vida queimara sobre ele quando ambicionava fama, mas que não poderia mais infligir a alguém indiferente à glória, ele abriu os olhos, que já estavam bem abertos o tempo todo, mas tinham visto apenas ideias, e viu, pousada no baixio diante dele, a sua casa.

Lá estava ela, ao sol do início da primavera. Parecia mais uma cidade do que uma casa, mas uma cidade construída não aqui e ali, como este homem ou aquele desejara, mas circunspectamente, por um único arquiteto com uma ideia na cabeça. Alas e edificações, cinzentas, vermelhas, cor de ameixa, ordenadas e simétricas; algumas alas eram retangulares e outras, quadradas; nesta havia uma fonte; naquela, uma estátua; os edifícios, alguns baixos, alguns pontiagudos; aqui uma capela, ali um campanário; espaços da grama mais verde pelo meio, grupos de cedros e canteiros de flores coloridas; todos contidos, mas tão bem arranjados que parecia que cada parte tinha espaço para se espalhar adequadamente, contidos pelo correr de um muro enorme; enquanto a fumaça de inúmeras chaminés rolava perpetuamente no ar. Essa edificação vasta, mas ordenada, que poderia abrigar mil homens e talvez dois mil cavalos, tinha sido construída, pensou Orlando, por operários cujos nomes são desconhecidos. Ali tinham vivido, por mais séculos do que posso contar, as obscuras gerações de minha própria família obscura. Nenhum desses Richards, Johns, Annes, Elizabeths deixaram para trás uma marca de si mesmos, ainda assim, trabalhando juntos, todos, com suas pás e agulhas, fazendo amor e tendo filhos, deixaram isso.

Nunca uma casa pareceu mais nobre e humana.

Por que, então, desejou elevar-se acima deles? Pois parecia vaidade e extrema arrogância tentar melhorar aquele trabalho anônimo de criação; o trabalho daquelas mãos desaparecidas. Melhor era continuar desconhecido e deixar para trás um arco, um galpão de vasos, um muro onde os pêssegos amadurecem, do que queimar como um meteoro e não deixar poeira. Porque, afinal, disse ele, suavemente ao olhar a grande casa no gramado abaixo, os senhores e as senhoras desconhecidos que aqui viveram nunca se esqueceram de reservar alguma coisa para aqueles que viriam depois; para o telhado que vazaria; para a árvore que cairia sempre havia um canto acolhedor para o velho pastor na cozinha; sempre havia comida para os famintos; sempre suas taças eram polidas, embora estivessem doentes, e suas janelas acesas, embora estivessem morrendo. Por lordes que fossem, contentavam-se em descer para o anonimato com o caçador de toupeiras e o pedreiro. Nobres obscuros, construtores esquecidos, assim ele os qualificou, com um calor que contradizia totalmente os críticos que o chamavam de frio, indiferente, preguiçoso (a verdade é que muitas vezes uma qualidade está justamente do outro lado do muro em que a buscamos); assim ele qualificou sua casa e estirpe com termos da mais comovente eloquência; mas quando se tratava de peroração (e o que é a eloquência que carece de peroração?) ele se atrapalhava. Gostaria de terminar com um floreio que dissesse que ele ia seguir seus passos e acrescentar outra pedra ao edifício. Como, no entanto, o edifício já cobria cinco hectares, adicionar uma única pedra parecia supérfluo. Podia-se mencionar móveis em uma peroração? Podia-se falar de cadeiras, mesas, tapetes para estender ao lado das camas das pessoas? Porque tudo o que faltasse à peroração, era disso que a casa precisava. Deixou o discurso inacabado por um momento e desceu a colina outra vez, decidido a se dedicar, de agora em diante, ao mobiliário da mansão. A notícia de que ela devia comparecer imediatamente encheu de lágrimas os olhos da boa e velha sra. Grimsditch, agora um tanto envelhecida. Juntos, eles perambularam pela casa.

Faltava uma perna ao cabide de toalha no quarto do rei ("e era o rei James, meu senhor", disse ela, insinuando que fazia muitos dias que um rei dormira debaixo daquele teto; mas os odiosos dias do Parlamento tinham acabado e agora havia uma coroa na Inglaterra outra vez); não havia suportes para os jarros no pequeno armário que conduzia à sala de espera do pajem da duquesa; o sr. Greene tinha manchado o tapete com seu cachimbo nojento, que ela e Judy, apesar de muito esfregar, nunca conseguiram lavar. Na verdade, quando Orlando começou a cogitar a questão de mobiliar com cadeiras de pau-rosa e armários de madeira de cedro, com bacias de prata, tigelas de porcelana e tapetes persas cada um dos 365 quartos que a casa continha, ele viu que não seria uma questão leve; e, se sobrassem alguns milhares de libras de seu espólio, permitiriam pouco mais do que pendurar tapeçarias em algumas galerias, dotar a sala de jantar de cadeiras finas, entalhadas, e prover espelhos de prata maciça e cadeiras do mesmo metal (pelo qual ele tinha uma paixão desordenada) para mobiliar os quartos reais.

Ele então se pôs a trabalhar a sério, como podemos provar sem sombra de dúvida se olharmos os seus livros. Vamos dar uma olhada em um inventário do que ele comprou nesse momento, com as despesas somadas na margem, mas essas vamos omitir.

"E cinquenta pares de cobertores espanhóis, idem de cortinas de tafetá carmesim e branco; as sanefas para elas de cetim branco bordado com seda carmesim e branca...

"E setenta cadeiras de cetim amarelo e sessenta banquinhos, combinando suas coberturas de entretela para todos...

"E sessenta e sete mesas de nogueira...

"E dezessete dúzias de caixas contendo cada dúzia cinco dúzias de cálices de Veneza...

"E cento e dois tapetes, cada um com trinta metros de comprimento...

"E noventa e sete almofadas de damasco carmesim debruadas de renda prata com banquinhos de tecido e cadeiras combinando...

"E cinquenta candelabros para doze velas cada..."

Tal o efeito que as listas têm sobre nós que já começamos a bocejar. Mas, se paramos, é só porque o catálogo é entediante, não que esteja terminado. São noventa e nove páginas mais, e o total da soma desembolsada chega a muitos milhares; ou seja, milhões do dinheiro atual. E se passava assim o dia, à noite também encontrava-se lorde Orlando a calcular quanto custaria nivelar um milhão de montículos de toupeira, se os homens recebessem dez pence por hora; e ainda, quantas centenas de quilos de pregos a cinco pence e meio penny o quartilho seriam necessários para consertar a cerca do parque, que tinha vinte e quatro quilômetros de circunferência. E assim por diante.

A história, dizemos, é tediosa, porque um armário é muito parecido com outro, e um montículo não muito diferente de um milhão. Custou-lhe algumas viagens agradáveis; e umas boas aventuras. Como, por exemplo, quando ele pôs toda uma cidade de mulheres cegas, perto de Bruges, a costurar reposteiros para uma cama com dossel de prata; e a história de sua aventura com um mouro em Veneza de quem comprou (mas apenas na ponta da espada) sua escrivaninha laqueada, pode, em outras mãos, valer a pena ser contada. Nem faltava variedade ao trabalho; porque ora vinham, transportadas por parelhas de Sussex, grandes árvores a serem serradas transversalmente e postas como piso ao longo da galeria; ora um baú da Pérsia, cheio de lã e serragem, do qual ele retirava, por fim, um único prato ou um anel de topázio.

Com o tempo, porém, não havia nos corredores espaço para nenhuma outra mesa; nenhum espaço nas mesas para nenhum escaninho; nenhum espaço no escaninho para outra tigela de rosas; nenhum espaço na tigela para outro punhado de pot-pourri; nenhum espaço para nada em lugar algum; em resumo, a casa estava guarnecida. No jardim, galanto, açafrão, jacinto, magnólia, rosa, lírio, áster, dália em todas as suas variedades, pereiras, macieiras, cerejeiras, amoreiras, com uma enorme quantidade de arbustos raros e floridos, de árvores perenes, cresciam com tal densidade entre as raízes umas das outras que não havia pedaço algum de terra sem sua flor, pedaço algum de gramado sem sua sombra. Além disso, ele importou aves silvestres com plumagem colorida; e dois ursos malaios, cujo mau humor escondia, ele tinha certeza, corações confiáveis.

Tudo agora estava pronto; e quando era noite, e as inúmeras arandelas de prata estavam acesas e as leves brisas que sopravam sempre pelos corredores agitavam as tapeçarias azuis e verdes, de modo que parecia que o caçadores cavalgavam e Daphne voava; quando a prata brilhava, a laca reluzia e a madeira se inflamava; quando as cadeiras entalhadas estendiam os braços e os golfinhos nadavam nas paredes com sereias nas costas; quando tudo isso e muito mais que tudo isso estava completo e a seu gosto, Orlando caminhou pela casa com seus cães elkhound ao lado e sentiu-se satisfeito. Tinha matéria agora, pensou, para cumprir sua peroração. Talvez fosse bom começar o discurso de novo. No entanto, ao percorrer os corredores, sentiu que ainda faltava alguma coisa. Cadeiras e mesas, por mais ricamente douradas e entalhadas, sofás apoiados em patas de leão, com pescoços de cisne curvados debaixo deles, camas, mesmo as de penugem de cisne mais macias, não são suficientes em si. Pessoas sentadas nelas, pessoas deitadas nelas as melhoram surpreendentemente. Então, Orlando começou uma série de esplêndidas festas para a nobreza e aristocracia das redondezas. Os 365 quartos eram ocupados durante um mês a cada ocasião. Convidados se acotovelavam nas cinquenta e duas escadas. Trezentos criados se agitavam pelas despensas. Banquetes aconteciam quase todas as noites. Assim, em poucos anos, Orlando tinha esfolado a penugem de seu veludo, e gastado metade de sua fortuna; mas ele conquistou as boas graças de seus vizinhos. Ocupava vários cargos no condado e anualmente ganhava de presente talvez uma dúzia de volumes dedicados a sua senhoria em termos bastante excessivos da parte de poetas agradecidos. Pois, embora tivesse o cuidado de não conviver com escritores da época e de se manter sempre afastado de damas de sangue estrangeiro, ainda assim ele era excessivamente generoso com mulheres e poetas, e ambos o adoravam.

Mas, quando a festa estava no auge e os convidados se divertiam, ele conseguia ir sozinho para seu quarto particular. Lá, quando a porta se fechava, e ele tinha certeza da privacidade, ele pegava um velho caderno, costurado com seda roubada da caixa de trabalho de sua mãe e etiquetado com a caligrafia redonda de estudante, *O carvalho, um poema*. Ali escreveria até soar a meia--noite e muito depois. Mas, como ele riscava tantas linhas quantas escrevia, no final do ano a soma delas era muitas vezes bem menor que no início, e parecia que, nesse processo de escrever, o poema acabaria totalmente não escrito. Porque cabe ao historiador observar que ele tinha mudado surpreendentemente o seu estilo. O floreado foi disciplinado; a abundância, restringida; a era da prosa estava coagulando essas fontes cálidas. A própria paisagem externa estava menos cheia de guirlandas e as próprias sarças eram menos espinhosas e intrincadas. Talvez os sentidos estivessem um pouco mais embotados, e mel e nata menos sedutores ao paladar. Também não se pode duvidar de que o fato de as ruas serem melhor drenadas e as casas melhor iluminadas tivesse seu efeito sobre o estilo.

Um dia, com enorme esforço ele estava acrescentando um ou dois versos a *O carvalho, um poema*, quando uma sombra cruzou--lhe o canto do olho. Não era sombra, ele logo viu, mas a figura de uma dama muito alta, com capuz e manto, que atravessava o quadrilátero que se via de seu quarto. Como essa era a mais privada das alas, e a senhora desconhecida para ele, Orlando estranhou que tivesse chegado ali. Três dias depois, a mesma aparição surgiu novamente; e ao meio-dia da quarta-feira apareceu mais uma vez. Dessa vez, Orlando estava decidido a segui-la, e, aparentemente, ela não temia ser descoberta, pois diminuiu o passo quando ele se aproximou e olhou para o rosto dele abertamente. Qualquer outra mulher assim apanhada na propriedade privada de um lorde teria ficado com medo; qualquer outra mulher com aquele rosto, penteado e aspecto teria se coberto com a mantilha para se esconder. Pois essa dama parecia simplesmente uma lebre; uma lebre assustada, mas obstinada; uma lebre cuja timidez é superada por uma imensa e tola audácia; uma lebre que se senta ereta e olha furiosamente para seu perseguidor com grandes olhos esbugalhados; com orelhas eretas, mas trêmulas, com nariz pontudo, mas inquieto. Essa lebre, além disso, tinha um metro e oitenta de estatura e usava um enfeite na cabeça de tipo antiquado que a fazia parecer ainda mais alta. Assim confrontada, ela encarou Orlando com um olhar no qual timidez e audácia se combinavam estranhamente.

Primeiro, ela pediu, com uma reverência correta, mas um tanto desajeitada, que ele perdoasse sua intromissão. Então, endireitou-se de novo a toda a sua estatura, que devia ser algo mais que um metro e oitenta, e contou, mas com um riso nervoso, tão descontrolado e estridente que Orlando pensou que ela devia ter escapado de um hospício, que era a arquiduquesa Harriet Griselda de Finster-Aarhorn e Scand-op-Boom no território romeno. Ela desejava acima de tudo conhecê-lo, disse ela. Estava hospedada no andar de cima de uma padaria em Park Gates. Tinha visto o retrato dele e era a cara de uma sua irmã que (aqui ela gargalhou) tinha morrido havia muito tempo. Ela estava visitando a corte inglesa. A rainha era sua prima. O rei era um sujeito muito bom, mas raramente ia para a cama sóbrio. Aqui ela riu, gargalhou de novo. Em resumo, não havia nada a fazer a não ser convidá-la a entrar e dar-lhe um copo de vinho.

Dentro da casa, suas maneiras recuperaram a altivez natural para uma arquiduquesa romena; e se não tivesse demonstrado conhecimento de vinhos, raro em uma dama, e feito algumas observações sobre armas de fogo e os costumes dos desportistas de seu país, que eram bastante sensatos, teria faltado espontaneidade à conversa. Por fim, pôs-se de pé, anunciou que voltaria no dia seguinte, fez outra reverência prodigiosa e partiu. No dia seguinte, Orlando saiu para cavalgar. No dia seguinte, deu as costas a ela; no terceiro, puxou a cortina. No quarto dia, choveu e, como não podia deixar uma dama na chuva, nem era totalmente avesso a companhia, convidou-a a entrar e pediu sua opinião sobre uma armadura, que pertencera a um antepassado seu, se era obra de Jacobi ou de Topp. Ele tendia para Topp. Ela tinha outra opinião, pouco importa qual. Mas é de alguma importância para a nossa história que, ao ilustrar seu argumento, que tinha a ver com o funcionamento das peças de ligação, a arquiduquesa Harriet tenha pegado a caneleira dourada e ajustado na perna de Orlando. Já foi dito que ele tinha o par de pernas mais bem torneadas sobre as quais qualquer nobre caminhara.

Talvez algo na maneira como ela prendeu a fivela do tornozelo; ou sua postura curvada; ou a longa reclusão de Orlando; ou a simpatia natural que há entre os sexos; ou o Borgonha; ou o fogo... qualquer dessas causas pode ter a culpa; pois com certeza a culpa está de um lado ou de outro, quando um nobre da linhagem de Orlando recebe em casa uma dama, e ela é muitos anos mais velha, com um rosto de um metro de comprimento e olhos fixos, roupa um tanto ridícula, em uma capa de montaria, embora o clima estivesse quente; culpa existe quando um tal nobre se vê tão repentina e violentamente dominado por algum tipo de paixão que tem de sair da sala.

Mas que tipo de paixão seria essa?, podemos perguntar. E a resposta tem duas caras tanto quanto o próprio amor. Porque o amor... mas deixemos o amor fora da discussão por um momento, o que aconteceu de fato foi o seguinte:

Quando a arquiduquesa Harriet Griselda se abaixou para fechar a fivela, Orlando ouviu, de repente e inexplicavelmente, ao longe, o bater de asas do Amor. O agitar distante daquela plumagem macia despertou nele mil memórias de águas turbulentas, de beleza na neve e infidelidade na enchente; o som chegou mais perto; ele ruborizou e tremeu; ficou comovido como pensara nunca mais se comover; estava pronto a erguer as mãos e deixar o pássaro da beleza pousar em seus ombros, quando, horror!, um som de rangido como de corvos que saltam nas árvores começou a reverberar; o ar parecia escuro com ásperas asas negras; vozes crocitaram; pedaços de palha, gravetos e penas caíram; e sobre seus ombros pousou o mais pesado e sujo dos pássaros; que é o abutre. Assim, ele saiu correndo da sala e mandou o criado acompanhar a arquiduquesa Harriet até sua carruagem.

Porque o amor, ao qual podemos agora retornar, tem duas faces; uma branca, a outra negra; dois corpos; um liso, o outro peludo. Tem duas mãos, dois pés, duas caudas, dois, de fato, de cada membro, e cada um é o oposto exato do outro. No entanto, são tão estritamente unidos que não se pode separá-los. Neste caso, o amor de Orlando começou o voo com o rosto branco voltado em sua direção, e o corpo suave e adorável exposto. Mais perto e mais perto chegava soprando ares de puro deleite. De repente (ao ver a arquiduquesa, provavelmente), girou, deu meia-volta; mostrou-se negro, cabeludo, brutal; e foi Lascívia, o abutre, e não Amor, a Ave do Paraíso, que baixou, repulsivo, nojento, sobre seus ombros. Por isso ele correu; por isso ele foi buscar o criado.

Mas a harpia não é assim tão fácil de afugentar. Não só a arquiduquesa continuava hospedada acima da padaria, como Orlando era assombrado todos os dias e todas as noites por fantasmas do tipo mais asqueroso. Parecia em vão ter mobiliado a casa com prata e pendurado tapeçarias nas paredes, quando, a qualquer momento, uma ave suja de esterco podia pousar em sua escrivaninha. Lá estava ela, cambaleando entre as cadeiras; ele a viu arrastar-se, desajeitada, pelos corredores. Então, empoleirou-se, pesada, sobre a tela da lareira. Ele a espantava, e ela voltava, bicava o vidro até quebrar.

Percebendo assim que sua casa era inabitável, e que era preciso dar os passos para encerrar o assunto instantaneamente, ele fez o que qualquer outro jovem faria em seu lugar, e pediu ao rei Charles que o enviasse como embaixador extraordinário a Constantinopla. O rei estava caminhando em Whitehall. De braço dado com Nell Gwyn. Ela o bombardeava com avelãs. Era uma grande pena, suspirou aquela dama amorosa, que um par de pernas daquele tivesse de deixar o país.

No entanto, o destino era implacável; ela não podia fazer mais do que mandar um beijo por cima do ombro antes de Orlando partir.

3

É, de fato, muita falta de sorte e lamentável que nesta etapa da carreira de Orlando, quando ele desempenhou um papel muito importante na vida pública de seu país, tenhamos um mínimo de informações para prosseguir. Sabemos que ele cumpriu seus deveres com distinção, como atestam a Ordem de Bath e seu Ducado. Sabemos que houve um toque dele em algumas das mais delicadas negociações entre o rei Charles e os turcos; tratados no cofre do Escritório de Registros testemunham isso. Mas a revolução que irrompeu durante seu mandato, e o incêndio que se seguiu, danificou ou destruiu a tal ponto todos os papéis dos quais se poderia recolher qualquer registro confiável que o que podemos dar é lamentavelmente incompleto. Muitas vezes, o papel se encontra chamuscado a um marrom profundo no meio da frase mais importante. Justamente quando pensamos elucidar um segredo que intrigou historiadores durante cem anos, havia um buraco no manuscrito, grande o bastante para passar o dedo. Fizemos o nosso melhor para descobrir um parco resumo dos fragmentos carbonizados que restam; mas muitas vezes foi preciso especular, supor e até mesmo usar a imaginação.

O dia de Orlando passava, ao que parecia, mais ou menos da seguinte maneira. Por volta das sete, ele se levantava, enrolava-se em uma longa capa turca, acendia um charuto e apoiava os cotovelos no parapeito. Assim ficava, a olhar a cidade abaixo dele, aparentemente em transe. A essa hora, a névoa era tão espessa que as cúpulas de Santa Sofia e todo o restante pareciam flutuar; aos poucos, a névoa os descobria; via-se que aquelas bolhas tinham base firme; havia o rio; mais adiante a ponte Gálata; ali os peregrinos de turbante verde, sem olhos ou nariz, pedindo esmolas; ali os cães párias procurando entranhas; ali mulheres de xale; ali os inúmeros jumentos; ali homens a cavalo carregando longas varas. Logo, toda a cidade estaria agitada com o estalar de chicotes, batidas de gongo, gritos de oração, chibatadas em mulas e o chocalho de rodas revestidas de latão, enquanto odores acres, feitos de pão fermentando, incenso e especiarias subiam até as alturas da própria Pera e pareciam a própria respiração da estridente população multicolorida e bárbara.

 Nada, ele refletiu olhando a vista que agora cintilava ao sol, podia ser menos parecido com os condados de Surrey e Kent ou as cidades de Londres e Tunbridge Wells. À direita e à esquerda, erguiam-se as proeminências nuas e pedregosas das inóspitas montanhas asiáticas, das quais podia pender o árido castelo de um ou dois chefes de ladrões; mas não havia nenhum presbitério, nenhuma casa senhorial, nenhuma cabana, nenhum carvalho, olmo, violeta, hera ou rosa mosqueta. Não havia sebes para samambaias crescerem, nem campos para ovelhas pastarem. As casas eram tão brancas e tão despojadas como casca de ovo. Que ele, de raiz e fibra inglesas, ainda exultasse até o fundo do coração com esse panorama selvagem, e olhasse e olhasse para aquelas passagens e picos distantes planejando caminhadas por lá, sozinho, a pé, aonde só a cabra e o pastor tinham ido antes; que ele sentisse uma paixão afetuosa pelas flores coloridas, extemporâneas, que amasse os cães vadios maltratados mais ainda que os seus elkhounds e aspirasse avidamente o cheiro acre e penetrante das ruas, isso tudo o surpreendia. Ele se perguntava se, na época das Cruzadas, um de seus ancestrais teria se juntado a uma camponesa circassiana; pensou que seria possível; imaginou que a pele seria um tanto escura; então entrou e retirou-se para o banho.

Uma hora depois, devidamente perfumado, cacheado e ungido, ele receberia visitas de secretários e outros altos funcionários que traziam, um após o outro, caixas vermelhas que apenas a sua própria chave de ouro abria. Dentro, havia papéis da mais alta importância, dos quais restam agora apenas fragmentos, aqui um floreio, ali um lacre bem preso a um pedaço de seda queimada. Portanto, de seu conteúdo não podemos falar, mas apenas atestar que Orlando se mantinha ocupado, com seu lacre e selos, com as diversas fitas coloridas que tinham de ser anexadas de várias maneiras, com lavrar títulos e confeccionar floreios em torno de maiúsculas, até chegar o almoço, uma refeição esplêndida de talvez trinta pratos.

Depois do almoço, criados anunciavam que sua carruagem com seis cavalos estava na porta, e ele ia, precedido por janízaros de roxo que corriam a pé e acenavam grandes leques de penas de avestruz acima de suas cabeças, convocar os outros embaixadores e dignitários de estado. A cerimônia era sempre a mesma. Ao chegar ao pátio, os janízaros batiam com os leques no portal principal, que imediatamente se abria e revelava uma grande câmara, esplendidamente mobilada. Ali sentadas, duas figuras, geralmente de sexos opostos, trocavam profundas reverências e cumprimentos. Na primeira sala, só era permitido falar do tempo. Depois de dizer que estava bom ou úmido, quente ou frio, o embaixador passava então para a próxima câmara, onde, novamente, duas figuras se levantavam para cumprimentá-lo. Ali só era permitido comparar Constantinopla, enquanto local de residência, com Londres; e naturalmente o embaixador dizia preferir Constantinopla, e os anfitriões naturalmente diziam, embora nunca tivessem estado lá, que prefeririam Londres. Na próxima câmara, era preciso discutir com mais detalhes a saúde do rei Charles e do sultão. Na seguinte, discutiam a saúde do embaixador e da esposa do anfitrião, porém mais brevemente. Na próxima, o embaixador cumprimentava o anfitrião por seu móveis, e o anfitrião cumprimentava o embaixador por sua roupa. Dentro da seguinte, ofereciam doces, o anfitrião deplorava sua má qualidade, o embaixador exaltava a boa qualidade. A cerimônia terminava, enfim, fumando-se um narguilé e tomando um copo de café; mas, embora os movimentos de fumar e beber fossem meticulosamente realizados, não havia tabaco no narguilé, nem café no copo, pois, se fumaça e bebida fossem reais, a estrutura humana sucumbiria ao excesso. Porque, assim que o embaixador despachava em uma dessas visitas, tinha de fazer outra. As mesmas cerimônias eram realizadas exatamente na mesma ordem seis ou sete vezes nas casas de outros altos funcionários, de modo que era quase sempre tarde da noite quando o embaixador chegava em casa. Embora Orlando desempenhasse essas tarefas admiravelmente, e nunca negou que talvez fossem a parte mais importante das funções de um diplomata, ficava, sem dúvida, fatigado com elas, e muitas vezes deprimido e melancólico a tal ponto que preferia jantar sozinho com seus cachorros. Com eles, de fato, podia-se ouvi-lo falando em sua própria língua. E dizem que, às vezes, ele atravessava sozinho os portões, tarde da noite, tão disfarçado que as sentinelas não o reconheciam. Então misturava-se à multidão na ponte Gálata; ou passeava pelos bazares; ou tirava os sapatos e juntava-se aos fiéis nas mesquitas. Uma vez, quando noticiaram que ele estava com febre, pastores que traziam suas cabras ao mercado relataram que haviam encontrado um lorde inglês no alto da montanha e ouvido que rezava ao seu Deus. Pensava-se que se tratava do próprio Orlando, e sua oração, sem dúvida, era um poema recitado em voz alta, pois era sabido que ele ainda carregava consigo, no peito de sua capa, um manuscrito muito vincado; e criados ouviam na porta o embaixador entoar alguma coisa com uma voz estranha, cantarolada, quando estava sozinho.

É com fragmentos como esses que temos de fazer o nosso melhor para compor uma imagem da vida e do caráter de Orlando nessa época. Existem, ainda hoje, rumores, lendas, anedotas de um tipo flutuante, não autenticado, sobre a vida de Orlando em Constantinopla (nós citamos apenas alguns deles) que vão provar que ele possuía, agora que estava no auge da vida, o poder de despertar a imaginação e atrair o olhar que manterá viçosa uma memória durante muito tempo, depois de esquecido aquilo que qualidades mais duráveis podem fazer para preservá-la. O poder é um misterioso composto de beleza, estirpe e algum dom mais raro, que podemos chamar de glamour, enfim. "Um milhão de velas", Sacha tinha dito, queimavam dentro dele sem que se desse ao trabalho de acender nem uma só. Ele se movia como um cervo, sem nenhuma necessidade de pensar nas pernas. Ele falava com sua voz normal e um gongo de prata ecoava. Daí, os rumores surgidos em torno dele. Tornou-se o adorado de muitas mulheres e de alguns homens. Não era necessário que falassem com ele ou mesmo que o vissem; conjuravam entre eles, principalmente quando o cenário era romântico, ou o sol estava se pondo, a figura de um nobre cavalheiro em meias de seda. Exercia sobre pobres e ignorantes o mesmo fascínio que sobre os ricos. Pastores, ciganos, condutores de burros, ainda cantam canções sobre um lorde inglês "que jogou suas esmeraldas no poço", o que, sem dúvida, se refere a Orlando, que uma vez, ao que parece, arrancou suas joias em um momento de raiva ou embriaguez e jogou-as numa fonte; de onde foram pescadas por um pajem. Mas esse poder romântico é bem conhecido e frequentemente associado a uma natureza de extrema reserva. Orlando parece não ter feito amigos. Tanto quanto se sabe, ele não estabeleceu ligações. Certa grande dama veio da Inglaterra para ficar perto dele e o importunou com suas atenções, mas ele continuou a cumprir seus deveres tão incansavelmente que não tinha sido embaixador no Horn por mais de dois anos e meio quando o rei Charles expressou a intenção de elevá-lo ao posto mais alto da nobreza. O invejoso disse que isso foi tributo de Nell Gwyn à memória de umas pernas. Mas, como ela o tinha visto apenas uma vez, e estava ocupada em bombardear com cascas de noz o seu senhor real, em poucas palavras, é provável que tenham sido os méritos dele que lhe valeram o ducado, e não suas panturrilhas.

Aqui devemos fazer uma pausa, pois chegamos a um momento de grande significado em sua carreira. Porque a concessão do ducado foi a ocasião de um incidente famoso e, de fato, muito controvertido, que devemos agora descrever, buscando da melhor forma o fio da meada entre papéis queimados e pedacinhos de fita. Foi no fim do grande jejum do Ramadã que a Ordem de Bath e a patente de nobreza chegaram em uma fragata comandada por sir Adrian Scrope; e Orlando fez disso ocasião para a festa mais esplêndida do que qualquer uma conhecida antes ou depois em Constantinopla. A noite estava ótima; a multidão era imensa, as janelas da embaixada brilhavam iluminadas. Mais uma vez faltam detalhes, porque o fogo atingiu todos esses registros e deixou apenas tentadores fragmentos que não esclarecem os pontos obscuros mais importantes. Do diário de John Fenner Brigge, no entanto, um oficial da marinha inglesa, que estava entre os convidados, concluímos que, no pátio, pessoas de todas as nacionalidades "se acotovelavam como arenques num barril". A multidão se apertava de forma tão desagradável que Brigge trepou numa árvore-de-judas para melhor observar os procedimentos. Entre os nativos, correu o boato (e aqui vemos mais uma prova do misterioso poder de Orlando sobre a imaginação) de que ia acontecer algum tipo de milagre. "Então", escreve Brigge (mas seu manuscrito está cheio de queimaduras e buracos, algumas frases bem ilegíveis), "quando os foguetes começaram a subir no ar, havia considerável inquietação entre nós, por temor de que a população nativa fosse atingida... com desagradáveis consequências para todos... senhoras inglesas no grupo, eu confesso que minha mão foi para o cutelo. Felizmente", prossegue ele em seu estilo um tanto prolixo, "esses medos pareciam, para o momento, sem fundamento e, observando o comportamento dos nativos... cheguei à conclusão de que esta demonstração de nossa habilidade na arte da pirotecnia era valiosa, mesmo que apenas para mostrar a eles... a superioridade dos britânicos... Na verdade, a visão era de indescritível magnificência. Eu me vi louvando alternadamente ao Senhor por ele ter permitido... e desejando que minha pobre e querida mãe... Por ordem do embaixador, as longas janelas, que são uma característica tão imponente da arquitetura oriental, pois, embora ignorante em muitos aspectos... estavam bem abertas; e, dentro, podia-se ver um *tableau vivant* ou apresentação teatral em que senhoras e senhores ingleses... representavam uma mascarada, obra de um... palavras eram inaudíveis, mas a visão de tantos de nossos compatriotas e mulheres, vestidos com a maior elegância e distinção... provocou em mim emoções das quais certamente não tenho vergonha, embora seja capaz de... eu observava atento a surpreendente conduta de lady... que era de uma natureza a atrair os olhos de todos, e atrair descrédito para seu sexo e seus país, quando..." infelizmente um galho da árvore-de-judas quebrou, o tenente Brigge caiu no chão, e o restante do texto registra apenas sua gratidão à Providência (que desempenha um papel muito importante no diário) e a natureza exata de seus ferimentos.

Felizmente, a srta. Penelope Hartopp, filha do general com esse nome, viu a cena de dentro e conta a história em uma carta, também muito desfigurada, que finalmente chegou a uma amiga em Tunbridge Wells. A srta. Penelope não foi menos pródiga em seu entusiasmo do que o galante oficial. "Arrasador", exclama ela dez vezes em uma página, "maravilhoso... totalmente impossível da descrever... pratos de ouro... candelabros... negros com calções de veludo... pirâmides de gelo... fontes de sangria... gelatinas com a forma dos navios de Sua Majestade... cisnes com a forma de nenúfares... pássaros em gaiolas douradas... cavalheiros de veludo carmesim com recortes... penteados femininos de PELO MENOS um metro e oitenta de altura... caixas de música... o sr. Peregrine disse que eu estava MUITO linda, o que só conto para você, minha querida, porque sei que... Ah! como eu queria vocês todos aqui!... muito superior a tudo que vimos no cassino de Pantiles... oceanos de bebidas... alguns senhores exageraram... Lady Betty arrebatadora.... a pobre lady Bonham cometeu o triste erro de sentar sem cadeira embaixo dela... Cavalheiros, todos muito galantes... desejei mil vezes que você e a querida Betsy... Mas o foco de todos os outros, o centro da atenção de todos os olhos... como todos admitiam, porque ninguém podia ser tão maldoso a ponto de negar, era o próprio embaixador. Que pernas! Que semblante!! Maneiras tão principescas!!! Vê-lo entrar na sala! Vê-lo sair de novo! E algo INTERESSANTE na expressão, o que nos faz sentir, sem saber bem por quê, que ele SOFREU! Dizem que por causa de uma dama. A monstra sem coração!!! Como pode alguém de nosso SEXO CONSIDERADO FRÁGIL ter essa insolência!!! Ele é solteiro, e metade das mulheres daqui está louca de amor por ele... mil, mil beijos para Tom, Gerry, Peter e meu querido Mew" [provavelmente o gato dela].

    Pela Gazeta da época, ficamos sabendo que, "quando o relógio bateu meia-noite, o embaixador apareceu na varanda central ornada com tapetes de valor inestimável. Seis turcos da Guarda Imperial, cada um com mais de um metro e oitenta de estatura, seguravam tochas à direita e à esquerda. Foguetes subiram no ar à sua aparição e do meio do povo subiu um grande grito, que o embaixador agradeceu com uma curvatura profunda e disse algumas palavras de agradecimento na língua turca, que havia sido uma de suas conquistas falar com fluência. A seguir, sir Adrian Scrope, na farda de gala de almirante britânico, avançou; o embaixador pousou um joelho no chão; o almirante pôs em seu pescoço o colar da Mais Nobre Ordem de Bath, em seguida prendeu a Estrela em seu peito; depois disso, outro cavalheiro do corpo diplomático avançou, imponente, colocou sobre seus ombros as vestes ducais e entregou-lhe sobre uma almofada carmesim a tiara ducal. Por fim, com um gesto de extraordinária majestade e elegância, primeiro com uma profunda curvatura e, em seguida, orgulhosamente ereto, Orlando pegou o círculo dourado de folhas de morango e, com um gesto que ninguém jamais esqueceu, colocou-o na fronte. Foi neste ponto que o primeiro distúrbio começou. Ou as pessoas esperavam um milagre; alguns dizem que haviam profetizado que uma chuva de ouro cairia do céu; o que não aconteceu, ou foi o sinal escolhido para que o ataque começasse; ninguém parece saber; mas, assim que a tiara estava na cabeça de Orlando, ergueu-se um grande tumulto. Os sinos começaram a tocar; ouviram-se gritos ásperos dos profetas acima dos gritos do povo; muitos turcos lançaram-se ao chão e tocaram a terra com a testa. Uma porta se escancarou com ruído. Os nativos invadiram as salas de banquetes. Mulheres gritaram. Uma certa dama, que diziam estar morrendo de amor por Orlando, pegou um candelabro e arremessou no chão. Ninguém sabe dizer o que poderia ter acontecido, não fosse a presença de sir Adrian Scrope e de um esquadrão britânico de casacos azuis. Mas o almirante ordenou que soassem os clarins; cem casacos azuis estavam imediatamente em posição de sentido; a desordem foi reprimida e o silêncio, pelo menos por enquanto, caiu sobre a cena.

Até agora, estamos no terreno firme, embora bastante estreito, da verdade comprovada. Mas ninguém nunca soube exatamente o que aconteceu mais tarde nessa noite. O testemunho das sentinelas e de outros parece, no entanto, provar que a embaixada foi esvaziada e fechada para a noite, como de costume, por volta das duas da manhã. Viram o embaixador a caminho de seu quarto, ainda usando a insígnia de sua posição, e depois fechando a porta. Alguns dizem que ele a trancou, o que era costume dele. Outros afirmam que, mais tarde nessa noite, ouviram música rústica, como tocam os pastores, no pátio abaixo da janela do embaixador. Uma lavadeira, que a dor de dente manteve acordada, disse que viu a figura de um homem, envolto num manto ou roupão, sair para a varanda. Depois, disse ela, uma mulher, muito disfarçada, mas aparentemente da classe camponesa, foi puxada para cima por meio de uma corda que o homem jogou da varanda para ela. Então, disse a lavadeira, os dois se abraçaram apaixonadamente "como amantes", entraram juntos no quarto e fecharam a cortina para não serem mais vistos.

Na manhã seguinte, os secretários do duque, como devemos chamá-lo agora, o encontraram mergulhado em sono profundo em meio a roupas de cama muito reviradas. O quarto estava bastante desarrumado, a tiara rolara no chão, a capa e a liga estavam jogadas em cima de uma cadeira. A mesa estava cheia de papéis. Ninguém suspeitou de nada no início, uma vez que a agitação da noite tinha sido intensa. Mas, quando chegou a tarde e ele ainda dormia, chamaram um médico. Ele aplicou remédios que haviam sido usados na ocasião anterior: emplastros, urtigas, eméticos, etc., mas sem sucesso. Orlando continuou dormindo. Os secretários então acharam que era seu dever examinar os papéis sobre a mesa. Muitos estavam rabiscados com poesia, na qual havia menção frequente a um carvalho. Havia também vários documentos de Estado e outros de natureza privada, referentes à gestão de suas propriedades na Inglaterra. Mas acabaram encontrando um documento de significação muito maior. Na verdade, não era nada menos que uma certidão de casamento, lavrada, assinada e testemunhada entre sua senhoria, Orlando, Cavaleiro da Jarreteira, etc., etc., etc., e Rosina Pepita, uma dançarina, pai desconhecido, mas considerada cigana, mãe também desconhecida, mas tida como vendedora de ferro velho no mercado em frente à ponte Gálata. Os secretários se entreolharam, consternados. E Orlando dormia ainda. De manhã e à noite, eles o observavam, mas, salvo pela respiração regular e faces ainda coradas de seu tom rosa profundo de sempre, ele não dava sinal de vida. Fizeram tudo o que a ciência ou a engenhosidade podiam fazer para acordá-lo. Mas ele ainda dormia.

No sétimo dia desse transe (quinta-feira, 10 de maio), dispararam o primeiro tiro daquela terrível e sangrenta insurreição cujos primeiros sintomas o tenente Brigge havia detectado. Os turcos se levantaram contra o sultão, atearam fogo à cidade, e submeteram todos os estrangeiros que encontravam ou à espada ou ao espancamento. Uns poucos ingleses conseguiram escapar; mas, como era de se esperar, os cavalheiros da embaixada britânica preferiram morrer em defesa de suas caixas vermelhas, ou, em casos extremos, engoliram molhos de chaves para que não caíssem nas mãos dos infiéis. Os manifestantes invadiram o quarto de Orlando, mas, ao vê-lo deitado e com toda a aparência de morto, o deixaram intacto, e apenas roubaram a tiara e o manto da Jarreteira.

E agora novamente baixa a obscuridade, e de fato seria preferível que fosse mais profunda! Que fosse tão profunda, quase temos a coragem de afirmar, que absolutamente nada se pudesse ver em sua opacidade! Que pudéssemos aqui pegar uma caneta e escrever Finis em nosso trabalho! Que pudéssemos poupar o leitor do que está por vir e lhe dizer com todas as letras, Orlando morreu e foi enterrado. Mas aqui, ai!, a Verdade, a Franqueza e a Honestidade, deusas austeras que vigiam e protegem o tinteiro do biógrafo, exclamam: Não! Erguem aos lábios suas trombetas de prata e exigem a um só toque, Verdade! E tornam a gritar Verdade! e ainda uma terceira vez clamam em conjunto, a Verdade e nada mais que a Verdade!

Diante disso, Deus seja louvado!, pois nos proporciona um espaço para respirar. As portas se abrem suavemente, como se um sopro do mais delicado e sagrado zéfiro as empurrasse, e entram três figuras. Primeiro, vem Nossa Senhora de Pureza; com a fronte coroada com faixas da mais branca lã de cordeiro; cujo cabelo é como uma avalanche de neve; e em cuja mão repousa a pena branca de um ganso virgem. Atrás dela, mas com passo mais majestoso, vem Nossa Senhora da Castidade; em cuja testa repousa como uma muralha de fogo ardente, mas que não se consome, um

diadema de pingentes de gelo; seus olhos são estrelas puras, e os dedos, se nos tocam, nos congelam até os ossos. Logo atrás dela, abrigando-se de fato à sombra de suas irmãs mais majestosas, vem Nossa Senhora da Modéstia, a mais frágil e bela das três; cujo rosto só aparece quando a lua jovem surge, fina, em forma de foice, meio escondida entre as nuvens. Elas avançam para o centro do quarto onde Orlando ainda está dormindo; com gestos ao mesmo tempo atraentes e imponentes, NOSSA SENHORA DA PUREZA fala primeiro:
– Eu sou a guardiã do cervo adormecido; a neve me é querida; a lua que nasce; o mar de prata. Com meus mantos eu cubro os ovos da galinha carijó e a rajada concha do mar; cubro o vício e a pobreza. Sobre todas as coisas frágeis, escuras ou duvidosas, baixo o meu véu. Portanto, não fale, não revele. Poupar-se, ó, poupar-se!
Então soam as trombetas.
– Fora, Pureza! Vá embora, Pureza!
Então NOSSA SENHORA DA CASTIDADE fala:
– Eu sou aquela cujo toque congela e cujo olhar transforma em pedra. Imobilizo a dança da estrela e a onda que cai. No mais alto dos Alpes tenho minha morada; quando eu ando, relâmpagos brilham em meu cabelo; onde pouso os olhos, eles matam. Em vez de deixar Orlando acordar, vou congelá-lo até os ossos. Poupar-se, ó, poupar-se!
Então soam as trombetas.
– Fora, Castidade! Vá embora, Castidade!
Então NOSSA SENHORA DA MODÉSTIA fala, tão baixo que mal se ouve:
– Eu sou aquela que os homens chamam de Modéstia. Virgem sou e sempre serei. Não são para mim os campos frutíferos e a vinha fértil. Tudo o que cresce me é odioso; e quando as macieiras florescem ou os rebanhos procriam, eu fujo, fujo; deixo cair meu manto. Meu cabelo cobre os meus olhos. Eu não vejo. Poupar-se, ó, poupar-se!

Novamente soam as trombetas:
— Fora, Modéstia! Vá embora, Modéstia!

Com gestos de pesar e lamentação, as três irmãs agora dão-se as mãos e dançam lentamente, agitam seus véus e cantam:

— Verdade, não saia de seu horrendo covil. Esconda-se mais fundo, assustadora Verdade. Porque você exibe ao olhar brutal do sol coisas que era melhor ficarem desconhecidas; você desvenda o vergonhoso; a escuridão você clareia, esconda-se! Esconda-se! Esconda-se!

Aqui elas fazem como se quisessem cobrir Orlando com seus panos. As trombetas, enquanto isso, ainda ressoam.

— A verdade e nada mais que a verdade.

Com isso, as Irmãs tentam lançar seus véus às bocas das trombetas para abafá-las, mas em vão, porque agora todas as trombetas soam juntas.

— Irmãs horrendas, vão embora!

As irmãs, confusas, lamentam em uníssono, ainda circulando e agitando os véus para cima e para baixo.

— Nem sempre foi assim! Mas os homens não nos querem mais; as mulheres nos detestam. Nós vamos; nós vamos. Eu (A PUREZA DIZ ISSO), para o poleiro das galinhas. Eu (A CASTIDADE DIZ ISSO), para as alturas ainda não violadas de Surrey. Eu (A MODÉSTIA DIZ ISSO), para qualquer canto aconchegante onde haja hera e cortinas em profusão.

— Pois lá, e não aqui (todas falam juntas de mãos dadas, com gestos de despedida e desespero na direção da cama onde Orlando jaz dormindo), habitam ainda no ninho e no *boudoir*, no escritório e no tribunal aqueles que nos amam; aqueles que nos honram, virgens e homens urbanos; advogados e médicos; aqueles que proíbem; aqueles que negam; aqueles que reverenciam sem saber por quê; aqueles que elogiam sem entender; a tribo ainda muito numerosa (Deus seja louvado) dos respeitáveis; que preferem não ver; desejam não saber; amam a escuridão; aqueles que ainda nos adoram, e com razão; pois nós lhes demos Riqueza,

Prosperidade, Conforto, Ócio. Para eles nós vamos, você nós deixamos. Venham, irmãs, venham! Aqui não é lugar para nós.

Elas se retiram apressadas, agitando os véus sobre as cabeças, como se tentassem eliminar algo que não ousam olhar, e fecham a porta ao passar.

Portanto, estamos agora totalmente sozinhos no quarto com Orlando e os trompetistas. Os trompetistas, se posicionando lado a lado, em ordem, sopram uma explosão terrível:

– A VERDADE!

e com isso Orlando acordou. Ele se espreguiçou. Se levantou. Pôs-se de pé, completamente nu diante de nós, e enquanto as trombetas retumbavam Verdade! Verdade! Verdade!, não temos escolha senão confessar: ele era uma mulher.

* * *

O som das trombetas morreu e Orlando se pôs de pé completamente nu. Nenhum ser humano, desde o começo do mundo, jamais foi mais deslumbrante. Sua forma combinava ao mesmo tempo a força do homem e a graça da mulher. Parado ali, as trombetas de prata prolongaram sua nota, como se relutassem deixar a visão adorável que seu ressoar havia evocado; Castidade, Pureza e Modéstia, inspiradas, sem dúvida, pela Curiosidade, espiaram pela porta e jogaram para o corpo nu uma roupa como uma toalha que, infelizmente, ficou vários centímetros curta demais. Orlando olhou para si mesmo, de alto a baixo em um espelho longo, sem mostrar qualquer sinal de desconforto, e foi, provavelmente, para seu banho.

Podemos aproveitar esta pausa na narrativa para fazer certas afirmações. Orlando tinha se transformado em mulher, não há como negar. Mas, sob todos os outros aspectos, Orlando permanecia exatamente como antes. A mudança de sexo, embora alterasse o futuro dele, em nada alterava sua identidade. Seus rostos permaneciam, como provam seus retratos, praticamente os mesmos. A memória dele (mas no futuro devemos, por convenção, dizer "dela", e não "dele", e "ela", em vez de "ele") – a memória dela, então, repassou todos os acontecimentos de sua vida pregressa sem encontrar qualquer obstáculo. Podia haver uma ligeira nebulosidade, como se algumas gotas escuras tivessem caído na piscina límpida da memória; certas coisas tinham ficado um pouco esmaecidas; mas isso era tudo. A mudança parecia ter sido realizada sem dor, era completa e de tal forma que a própria Orlando não demonstrava surpresa. Muitas pessoas, levando isso em consideração, sustentam que tal mudança de sexo é contra a natureza, e fazem grandes esforços para provar (1) que Orlando sempre foi mulher, (2) que Orlando é neste momento um homem. Que os biólogos e psicólogos determinem isso. Basta-nos declarar o simples fato; Orlando era um homem até a idade de trinta anos; quando se tornou uma mulher e permaneceu assim desde então.

Mas deixemos que outras penas tratem de sexo e sexualidade; nós abandonamos tão odiosos assuntos assim que possível. Orlando já havia se banhado e se vestido com aqueles casacos e calças turcos que podem ser usados indiferentemente por qualquer sexo; e se viu forçada a ponderar sua posição. Que era precária e embaraçosa ao extremo deve ter sido o primeiro pensamento de cada leitor que acompanhou sua história com simpatia. Jovem, nobre, linda, ela se vira, ao acordar, em uma posição que não podemos conceber nada mais delicado para uma jovem dama de classe. Não poderíamos censurá-la se tivesse tocado a campainha, gritado ou desmaiado. Mas Orlando não mostrou tais sinais de perturbação. Todas as suas ações eram extremamente deliberadas, e pode-se mesmo pensar que mostravam toques de premeditação. Primeiro, ela examinou cuidadosamente os papéis sobre a mesa; pegou os que pareciam estar escritos em versos, escondeu no seio; em seguida, chamou seu cão Seleuchi, que não tinha saído de sua cama todos esses dias, embora meio faminto, o alimentou e escovou; então enfiou um par de pistolas no cinto; por fim, enrolou no corpo vários cordões das melhores esmeraldas e pérolas do oriente que faziam parte do guarda-roupa do embaixador. Feito isso, inclinou--se para fora da janela, deu um assobio baixo e desceu a escada cheia de estilhaços e manchada de sangue, agora coberta com o lixo de cestos de papel, tratados, despachos, selos, lacres, etc., e entrou no pátio. Ali, à sombra de uma figueira gigante, esperava um velho cigano em um burro. Ele levava outro pela rédea. Orlando passou a perna por cima dele; e assim, com um cão magro ao lado, montado em um burro, na companhia de um cigano, o embaixador da Grã-Bretanha à corte do Sultão deixou Constantinopla.

Viajaram por vários dias e noites e toparam com uma variedade de aventuras, algumas em mãos de homens, algumas em mãos da natureza, nas quais Orlando se portou sempre com coragem. Depois de uma semana, chegaram às terras altas diante de Broussa, que era então o principal acampamento da tribo cigana à qual Orlando se aliara. Muitas vezes, ela tinha olhado aquelas montanhas de sua varanda na embaixada; muitas vezes, desejara estar lá; e ver-se onde sempre se desejou estar, dá o que pensar para uma mente reflexiva. Durante algum tempo, porém, ela estava muito satisfeita com a mudança para estragá-la pensando. O prazer de não ter documentos para selar ou assinar, não ter de fazer floreios, nem visitas a pagar, já lhe bastava. Os ciganos seguiam a relva; quando não havia mais o que pastar, mudavam-se de novo. Ela se lavou em riachos, se é que se lavou; nenhuma caixa, vermelha, azul ou verde, lhe foi apresentada; não havia chave, muito menos uma chave de ouro, no acampamento inteiro; quanto à "visita", a palavra era desconhecida. Ela ordenhava cabras; coletava lenha; roubava um ovo de galinha de vez em quando, mas sempre punha uma moeda ou uma pérola em seu lugar; pastoreava o gado; podava videiras; pisava a uva; enchia a pele de cabra e bebia dela; e quando se lembrava de que, àquela hora, deveria estar fazendo os gestos de beber e fumar com uma xícara de café vazia e um narguilé sem fumo, ria alto, cortava ela mesma outro pedaço de pão, e implorava uma baforada do cachimbo do velho Rustum, embora o que ele fumasse fosse esterco de vaca.

Os ciganos, com os quais é óbvio que ela devia se comunicar em segredo antes da revolução, pareciam olhar para ela como uma deles mesmos (que é sempre o maior elogio que uma pessoa pode fazer), e seu cabelo escuro e tez escura confirmavam a crença de que ela era, por nascimento, uma deles, que um duque inglês teria arrebatado quando bebê e levado para aquela terra bárbara onde as pessoas moram em casas porque são muito frágeis e doentes para suportar o ar livre. Assim, embora sob muitos aspectos inferior a eles, estavam dispostos a ajudá-la a ficar mais como eles; ensinaram a ela suas artes de fazer queijo e a cestaria, sua ciência de roubar e enredar aves, e estavam mesmo dispostos a considerar que se casasse entre eles.

Mas Orlando tinha contraído na Inglaterra alguns dos costumes ou das doenças (como se prefira considerá-los) que, ao que parece, não podem ser superados. Uma noite, quando todos estavam sentados em volta da fogueira e o pôr do sol brilhava sobre as colinas da Tessália, Orlando exclamou:

– Que bom para comer!

(Os ciganos não têm uma palavra para "bonito". Essa é a mais próxima.)

Todos os rapazes e moças caíram na gargalhada. O céu bom para comer, realmente! Os mais velhos, porém, que tinham visto mais os estrangeiros do que eles, ficaram desconfiados. Notaram que Orlando ficava muitas vezes sentada por horas inteiras sem fazer absolutamente nada, exceto olhar aqui e ali; topavam com ela no alto de um morro olhando fixamente para a frente, sem se importar se as cabras estavam pastando ou perdidas. Começaram a desconfiar de que ela tinha crenças diferentes das deles, e os homens e mulheres mais velhos acharam provável que ela tivesse caído nas garras do mais vil e mais cruel de todos os deuses, que é a Natureza. Nem estavam longe da verdade. A doença inglesa, o amor pela natureza, era inata nela, e ali, onde a natureza era muito maior e mais poderosa do que na Inglaterra, ela caiu em suas mãos como nunca antes. A doença é muitíssimo conhecida, e tem sido, infelizmente, descrita com demasiada frequência para precisar de uma nova descrição, salvo muito breve. Havia montanhas; havia vales; havia riachos. Ela escalou as montanhas; vagou pelos vales; sentou-se nas margens dos riachos. Ela comparou as encostas a muralhas, a peitos de pombas e flancos de vacas. Comparou as flores a esmalte e a turfa a tapetes turcos desgastados. As árvores eram bruxas murchas, e as ovelhas, pedras cinzentas. Tudo, na verdade, era alguma outra coisa. Ela encontrou o lago no alto da montanha e quase se jogou nele em busca da sabedoria que pensou estar escondida ali; e quando, do alto da montanha, viu ao longe, do outro lado do mar de Mármara, as planícies da Grécia, e divisou (seus olhos eram admiráveis) a Acrópole com uma ou duas faixas brancas que deviam ser, pensou ela, o Partenon, sua alma se expandiu tanto quanto seus globos oculares, e ela rezou para poder compartilhar a majestade das colinas, conhecer a serenidade das planícies, etc. etc., como fazem todos esses crentes. Então, olhou para baixo, e o jacinto vermelho, a íris roxa a forçaram a dar um grito de êxtase pela bondade, pela beleza da natureza; ao erguer os olhos de novo, viu a águia voando, imaginou seus arrebatamentos e tornou-os seus. Na volta para casa, ela saudou cada estrela, cada pico e cada fogueira de vigilância como se sinalizassem apenas para ela; e, por último, quando se jogou em seu tapete na tenda dos ciganos, não conseguiu deixar de explodir de novo: – Que bom para comer! Que bom para comer! (Porque é um fato curioso que, embora os seres humanos tenham meios tão imperfeitos de comunicação, que só possam dizer "bom para comer" quando querem dizer "lindos" e vice-versa, eles suportam o ridículo e os mal-entendidos, em vez de reservar qualquer experiência para si mesmos.) Todos os jovens ciganos riram. Mas Rustum el Sadi, o velho que trouxera Orlando de Constantinopla em seu burro, ficou em silêncio. Ele tinha o nariz como uma cimitarra; as faces enrugadas como se sulcadas por um granizo de ferro; tinha a pele escura e os olhos afiados, e, sentado a puxar seu narguilé, ele observou Orlando de perto. Tinha a mais profunda suspeita de que seu Deus era a Natureza. Um dia, ele a encontrou em lágrimas e interpretou que isso significava que seu Deus a tinha punido; ele lhe disse que não estava surpreso. Ele mostrou-lhe os dedos de sua mão esquerda, murchos pela geada; mostrou-lhe o pé direito, esmagado por uma pedra caída. Isso, disse ele, era o que o Deus dela fazia com os homens. Quando ela disse, "mas é tão lindo", usando a palavra inglesa, ele balançou a cabeça; e quando ela repetiu, ele ficou com raiva. Ele viu que ela não acreditava no que ele acreditava, e foi o que bastou, sábio e antigo como ele era, para enfurecê-lo.

Essa diferença de opinião perturbou Orlando, que tinha sido inteiramente feliz até agora. Ela começou a pensar se a Natureza era bela ou cruel; e se perguntou o que era essa beleza; se estava nas coisas em si, ou apenas em si mesma; então prosseguiu até a natureza da realidade, o que a conduziu à verdade, que por sua vez a levou a Amor, Amizade, Poesia (como na época do alto do morro em casa); meditações essas que a fizeram desejar, como nunca havia desejado antes, ter pena e tinta, uma vez que não conseguia transmitir nenhuma palavra delas.

– Ah! Se ao menos eu pudesse escrever! – lamentou ela (pois tinha a estranha presunção daqueles que escrevem, que as palavras escritas são compartilhadas). Ela estava sem tinta; e tinha muito pouco papel. Mas fez tinta de frutas e vinho; encontrou algumas margens e espaços em branco no manuscrito de *O carvalho*, e, usando uma espécie de taquigrafia, conseguiu descrever o cenário em um longo poema de versos brancos e, de forma bastante concisa, dialogar consigo própria a respeito dessa Beleza e Verdade. Isso a manteve extremamente feliz por horas sem fim. Mas os ciganos ficaram desconfiados. Primeiro, notaram que ela se dedicava menos que antes à ordenha e à fabricação de queijos; em seguida, ela sempre hesitava antes de responder; e uma vez um menino cigano que estava dormindo acordou apavorado ao sentir os olhos dela sobre ele. Às vezes, esse constrangimento era sentido por toda a tribo, que totalizava algumas dezenas de homens e mulheres adultos. Isso brotava da sensação que eles tinham (e seus sentidos são muito aguçados, muito mais que seu vocabulário) de que tudo o que faziam desmoronava como cinzas em suas mãos. Sempre havia uma velha fazendo um cesto ou um menino tosando ovelhas, cantando ou cantarolando alegremente em seu trabalho, quando Orlando entrava no acampamento, jogava-se perto do fogo e olhava as chamas. Ela nem precisava olhar para eles, e mesmo assim eles sentiam, aí está alguém que duvida; (fazemos uma tradução aproximada da língua cigana) aí está alguém que não faz as coisas por fazer; nem olha por olhar; aí está alguém que não acredita nem em pele de ovelha, nem em cesto; mas vê (aqui eles olhavam, apreensivos, em torno da tenda) outra coisa. Então, uma sensação vaga, mas extremamente desagradável, começava a agir no menino e na velha. Eles quebravam as hastes de vime; eles cortavam os dedos. Uma grande raiva os dominava. Queriam que Orlando saísse da tenda e nunca mais se aproximasse deles. No entanto, ela demonstrava disposição alegre e empenhada, admitiam; e uma de suas pérolas era suficiente para comprar o melhor rebanho de cabras de Broussa.

 Lentamente, ela começou a sentir que havia alguma diferença entre ela e os ciganos, que a fazia hesitar às vezes em se casar e se estabelecer entre eles para sempre. No início, ela tentou explicar isso dizendo que vinha de uma raça antiga e civilizada, enquanto esses ciganos eram pessoas ignorantes, não muito mais que selvagens. Uma noite, quando eles a questionavam sobre a Inglaterra, ela não conseguiu evitar descrever com orgulho a casa onde nascera, que tinha 365 quartos e estava na posse de sua família havia quatrocentos ou quinhentos anos. Seus ancestrais eram condes, ou mesmo duques, acrescentou ela. Diante disso, percebeu novamente que os ciganos estavam inquietos; mas não com raiva como antes, quando ela havia elogiado a beleza da natureza. Dessa vez, foram corteses, mas se mostraram preocupados, como fazem as pessoas de boa educação quando um estranho é levado a revelar seu nascimento humilde ou sua pobreza. Rustum foi sozinho com ela para fora da tenda e disse que ela não precisava se preocupar de seu pai ter sido um duque e possuído todos os quartos e móveis que ela descrevera. Ninguém pensaria mal dela por isso. Então, ela se viu tomada por uma vergonha que nunca sentira antes. Ficou claro que Rustum e os outros ciganos pensavam que uma linhagem de apenas quatrocentos ou quinhentos anos era a mais mínima. Suas próprias famílias vinham de pelo menos dois ou três mil anos. Para o cigano, cujos ancestrais construíram as pirâmides séculos antes de Cristo nascer, a genealogia de Howards e Plantagenetas não era melhor nem pior do que a dos Smith e a dos Jones: ambas eram insignificantes. Além disso, num lugar onde o menino pastor tinha uma linhagem tão antiga, não havia nada especialmente memorável ou desejável no nascimento antigo; todos os vagabundos e mendigos compartilhavam a mesma coisa. E então, embora ele fosse muito cortês para falar abertamente, estava claro que o cigano pensava que não havia ambição mais vulgar do que possuir quartos às centenas (estavam conversando no alto de um morro; era noite; as montanhas se erguiam ao redor deles) quando a terra toda é nossa. Orlando entendeu que, do ponto de vista cigano, um duque nada mais era do que um aproveitador ou ladrão que arrebatava terras e dinheiro de pessoas que consideravam essas coisas de pouco valor e não conseguiam pensar em nada melhor do que construir 365 quartos, quando bastava um e nenhum era ainda melhor do que um. Ela não podia negar que seus ancestrais tinham acumulado campos e mais campos; casas e mais casas; honrarias e mais honrarias; no entanto, nenhum deles tinha sido santo ou herói, ou grande benfeitor da humanidade. Não podia tampouco rebater o argumento (Rustum era muito cavalheiro para insistir, mas ela havia entendido) de que qualquer homem que fizesse agora o que seus ancestrais tinham feito trezentos ou quatrocentos anos atrás seria denunciado, e por sua própria família, em alta voz, como um arrivista vulgar, um aventureiro, um novo rico.

Ela procurou responder a tais argumentos com o método oblíquo de sempre, qualificando a própria vida cigana de rude e bárbara; e então, em um curto tempo, uma grande inimizade brotou entre eles. Na verdade, bastam diferenças de opinião assim para causar derramamento de sangue e revolução. Cidades foram saqueadas por menos, e um milhão de mártires sofreram na fogueira em vez de ceder um milímetro sobre qualquer dos pontos debatidos aqui. Nenhuma paixão é mais forte no peito do homem do que o desejo de fazer os outros acreditarem naquilo que ele acredita. Nada destrói tanto a raiz de sua felicidade e o enche de raiva como a sensação de que o outro subestima o que ele mais preza. Whigs e Conservadores, Partido Liberal e Partido Trabalhista, por que lutam senão por seu próprio prestígio? Não é amor à verdade, mas desejo de dominar que coloca região contra região e faz com que a paróquia deseje a queda da paróquia. Todos buscam paz de espírito e subserviência, em vez do triunfo da verdade e exaltação da virtude; mas essas moralidades pertencem, e devem ser deixadas para o historiador, uma vez que são tão opacas quanto água de vala.

– Quatrocentos e setenta e seis quartos de dormir não significam nada para eles – Orlando suspirou.

– Ela prefere um pôr do sol a um rebanho de cabras – disseram os ciganos.

Orlando não conseguia pensar no que devia fazer. Deixar os ciganos e voltar a ser embaixador parecia-lhe insuportável. Mas era igualmente impossível permanecer para sempre num lugar onde não havia tinta nem papel para escrever, nem reverência pelos Talbot, nem respeito por múltiplos quartos de dormir. Uma bela manhã, ela estava pensando nisso, ao cuidar de suas cabras nas encostas do monte Athos. E então a Natureza, em quem ela confiava, ou pregou-lhe uma peça ou fez um milagre; de novo, as opiniões variam muito para se dizer qual. Orlando olhava, bem desconsolada, a encosta íngreme à sua frente. Era agora o meio do verão, e se temos de comparar a paisagem com alguma coisa, seria com um osso seco; com o esqueleto de uma ovelha; com uma caveira gigante bicada por mil abutres até ficar branca. O calor era intenso, e a pequena figueira debaixo da qual Orlando descansava servia apenas para imprimir padrões de folhas de figueira sobre seu leve albornoz. De repente, uma sombra, embora não houvesse nada para projetar uma sombra, apareceu no lado liso da montanha em frente. Rapidamente ficou mais profunda e logo um baixio verde se formou onde antes havia rocha árida. Enquanto ela olhava, o baixio se aprofundou e se alargou, e um grande espaço semelhante a um parque se abriu no flanco da encosta. Lá dentro, ela viu um gramado ondulado; viu carvalhos pontilhando aqui e ali; viu tordos pulando entre os galhos. Viu o cervo pisando delicadamente de sombra em sombra, e até ouviu o zumbido dos insetos e os suaves suspiros e arrepios de um dia de verão na Inglaterra. Depois de olhar em transe por algum tempo, a neve começou a cair; logo toda a paisagem estava coberta e sombreada com tons de violeta em vez da amarela luz solar. Ela então viu carroças pesadas avançarem pelas estradas, com troncos de árvores, que levavam, ela sabia, para serem serrados como lenha; e então apareceram os telhados, campanários, torres e pátios de sua própria casa. A neve caía, constante, e ela agora podia ouvir o deslizar e o baque que fazia ao escorregar pelo telhado e cair no chão. Subia fumaça de mil chaminés. Era tudo tão claro e minucioso que dava para ver uma gralha bicando a neve em busca de vermes. Então, pouco a pouco, as sombras violeta se aprofundaram e se fecharam sobre as carroças e os gramados e a própria casa grande. Engoliram tudo. Agora não restava mais nada do baixio verdejante, e em vez dos gramados havia apenas a encosta ardente que mil abutres pareciam ter bicado até desnudar. Diante disso, ela explodiu em lágrimas, voltou para o acampamento cigano e disse que tinha de partir para a Inglaterra já no dia seguinte.

Foi uma felicidade a sua decisão. Os jovens já haviam tramado a sua morte. A Honra, disseram eles, assim o exigia, porque ela não pensava como eles. Porém, iriam lamentar cortar a sua garganta; e se alegraram com a notícia de sua partida. Um navio mercante inglês, assim quis a sorte, já estava levantando velas no porto para voltar à Inglaterra; Orlando arrancou mais uma pérola de seu colar e não só pagou a passagem como ainda ficou com algumas notas na carteira. Gostaria de presentear o dinheiro aos ciganos. Mas sabia que eles desprezavam a riqueza; e teve que se contentar com abraços, que de sua parte foram sinceros.

4

Com alguns dos guinéus que sobraram da venda da décima pérola do colar, Orlando comprou para si um conjunto de roupa completo das roupas que as mulheres usavam então, e, vestida como uma jovem inglesa de alta classe, ela agora sentou-se no convés do *Enamoured Lady*. É um fato estranho, mas verdadeiro, que até este momento ela mal tinha pensado em seu sexo. Talvez a calça turca que usara até então tivesse distraído seus pensamentos; e as ciganas, a não ser por um ou dois detalhes importantes, diferem muito pouco dos ciganos. De qualquer forma, não foi até sentir as dobras da saia em torno das pernas e o capitão lhe oferecer, com a maior polidez, um toldo estendido para ela no convés, que percebeu, com um sobressalto, as penas e os privilégios de sua posição. Mas esse começo não foi do tipo que poderia ser esperado.

A causa não foi, digamos, única e exclusivamente a ideia de sua castidade e como ela poderia preservá-la. Em circunstâncias normais, uma adorável jovem sozinha não teria pensado em mais nada; todo o edifício da feminilidade tem como base essa pedra fundamental; a castidade é a sua joia, sua peça central, que elas enlouquecem para proteger e morrem quando violada. Mas, se alguém foi homem por trinta anos ou mais, e ainda um embaixador, se alguém teve uma rainha nos braços e uma ou duas outras damas de posição menos elevada, se é verdade o que dizem, se se casou com uma Rosina Pepita, e assim por diante, talvez não tenha um sobressalto assim tão grande diante desse fato. O sobressalto de Orlando foi de tipo muito complicado, e não pode ser resumido em um instante. Ninguém, de fato, jamais a acusou de ser uma daquelas inteligências rápidas que chegam ao fim das coisas em um minuto. Ela levou toda a duração da viagem para entender o sentido de seu sobressalto, e assim vamos acompanhá-la em seu próprio ritmo.

"Meu Deus", pensou ela, ao se recuperar do sobressalto e se espreguiçar longamente debaixo do toldo, "este é um modo de vida agradável e preguiçoso, com certeza. Mas", pensou, com um movimento de pernas, "esta saia é uma praga nos calcanhares. Mesmo que o tecido (pesada seda florida) seja o mais lindo do mundo. Eu nunca vi minha própria pele (aqui ela colocou a mão no joelho) tão boa como agora. Mas será que eu poderia pular no mar e nadar com uma roupa dessas? Não! Tenho, portanto, de confiar na proteção de um marinheiro. Tenho alguma objeção a isso? Tenho, será?", ela se perguntou, e aí encontrou o primeiro nó na meada suave de seu argumento.

O jantar veio antes que ela o desatasse, e foi o próprio Capitão Nicholas Benedict Bartolus, um capitão do mar de aspecto distinto, que fez isso por ela enquanto lhe servia uma fatia de carne enlatada.

– Um pouco da gordura, senhora? – perguntou ele. – Permita que corte para a senhora um pedacinho do tamanho da sua unha.

– Diante dessas palavras, um delicioso tremor percorreu o corpo dela. Pássaros cantaram; torrentes correram. Lembrou-lhe a sensação de prazer indescritível que sentira ao ver Sasha pela primeira vez, centenas de anos antes. Então ela tinha ido em frente, agora ela fugia. Qual o maior êxtase? Do homem ou da mulher? E não são talvez o mesmo? Não, pensou ela, este é o mais delicioso (agradeceu ao capitão, mas recusou), recusar, vê-lo franzir a testa. Bem, ela aceitaria, se faz o favor, a menor e mais fina fatia do mundo. Isso foi o mais delicioso de tudo, ceder e vê-lo sorrir.

"Porque nada", pensou ela, ao voltar para o sofá no convés e continuar a argumento, "é mais celestial do que resistir e ceder; ceder e resistir. Certamente isso lança o espírito em tal êxtase que nada mais consegue produzir. De forma que não tenho certeza", continuou, "se não me jogo no mar, pelo mero prazer de ser salva por um marinheiro, afinal".

(Há que lembrar que ela era como uma criança que entra de posse de um armário de prazeres ou brinquedos; seus argumentos não valeriam para mulheres maduras, que passaram por isso a vida toda.)

– Mas o que nós, rapazes da cabine de comando do "Marie Rose", dizíamos de mulher que se jogava no mar pelo prazer de ser resgatada por um marinheiro? – disse ela. – Tínhamos uma palavra para elas. Ah! Já sei... – (Mas devemos omitir essa palavra; era desrespeitosa ao extremo e mais do que estranha na boca de uma dama.) – Meu Deus! Meu Deus! – exclamou ela de novo ao concluir seus pensamentos. – Devo então começar a respeitar a opinião do outro sexo, por mais monstruosa que seja? Se uso saia, se não sei nadar, se tenho de ser resgatada por um marinheiro, meu Deus! – exclamou ela. – Devo, sim! – E, com isso, uma escuridão baixou sobre ela. Sincera por natureza e avessa a todo tipo de enganação, contar mentiras a entediava. Para ela, era como dissimular a ida ao trabalho. No entanto, ela refletiu, a seda florida, o prazer de ser resgatada por um marinheiro, se só pudesse obter essas coisas por dissimulação, era preciso ser dissimulada, talvez. Lembrou-se de como, quando era um rapaz, insistia que as mulheres deviam ser obedientes, castas e perfumadas e estar primorosamente vestidas. – Agora eu terei que pagar pessoalmente por esses desejos – refletiu. – Porque as mulheres (a julgar pela minha própria curta experiência do sexo) não são obedientes, castas e perfumadas e estão primorosamente vestidas por natureza. Elas só conseguem alcançar essas graças, sem as quais não podem desfrutar de nenhuma das delícias da vida, através da mais tediosa disciplina.

"Tem o penteado", pensou ela, "só isso já leva uma hora da minha manhã, depois olhar no espelho, outra hora; tem o espartilho e o cordão; lavar-se e empoar-se; passar da seda para a renda e da renda para a seda; ser casta ano após ano..." Aqui ela mexeu o pé com impaciência e mostrou alguns centímetros da panturrilha. Um marinheiro no mastro, que olhou para baixo no momento, sobressaltou-se a tal ponto que perdeu o equilíbrio e só se salvou por um triz. "Se a visão dos meus tornozelos significa morte para um homem honesto que, sem dúvida, tem esposa e família para sustentar, eu devo, por uma questão de humanidade, mantê-los cobertos", pensou Orlando. No entanto, suas pernas eram uma de suas maiores belezas. E ela se pôs a pensar como era estranha a situação a que chegamos quando toda a beleza de uma mulher tem de ficar sempre coberta para que um marinheiro não caia do alto do mastro. – Eles que se danem! – disse ela, percebendo pela primeira vez o que, em outras circunstâncias, teria aprendido em criança os sagrados deveres da feminilidade por assim dizer.

"E esse é o último palavrão que jamais falarei", pensou ela, "assim que pisar solo inglês. E eu nunca poderei quebrar a cabeça de um homem, ou dizer a ele que ele mente, ou sacar minha espada e atravessá-la em seu corpo, ou sentar-me entre meus pares, ou usar uma tiara, ou caminhar em procissão, ou sentenciar um homem à morte, ou liderar um exército, ou desfilar por Whitehall num cavalo de batalha ou usar setenta e duas medalhas diferentes no peito. Tudo o que posso fazer, uma vez que ponha os pés em solo inglês, é servir o chá e perguntar aos meus lordes como eles preferem. Aceita açúcar? Toma com creme?" E, medindo as palavras, ficou horrorizada ao perceber como era má a opinião que estava formando do outro sexo, o viril, ao qual tivera outrora orgulho de pertencer. "Cair do mastro", pensou, "porque viu os tornozelos de uma mulher; vestir-se como um Guy Fawkes e desfilar pelas ruas, para que as mulheres o elogiem; negar ensino a uma mulher para que ela não ria de você; ser o escravo da mais frágil sirigaita de anáguas. E ainda circular como se fossem o senhor da criação. Nossa!", pensou ela, "que tolos fazem de nós, quanta tolice!" E aqui pareceria, por alguma ambiguidade em seus termos, que ela censurava igualmente ambos os sexos, como se não pertencesse a nenhum; e, na verdade, por enquanto, ela parecia vacilar; era homem; era mulher; conhecia os segredos e compartilhava as fraquezas de cada um. Era o estado de espírito mais confuso e turbulento em que alguém podia se ver. Os confortos da ignorância pareciam totalmente negados a ela. Era uma pena soprada no vendaval. Assim, não é de admirar que, ao jogar um sexo contra o outro, concluiu que cada um, alternadamente, era cheio das mais deploráveis debilidades, e não tinha certeza a qual deles pertencia; não era de admirar que estivesse a ponto de gritar que ia voltar para a Turquia e se tornar cigana outra vez, quando a âncora caiu com grande estrondo no mar; as velas baixaram ao convés, e ela percebeu (tão mergulhada estivera em pensamentos que não tinha visto nada por vários dias) que o navio estava ancorado na costa da Itália. O capitão imediatamente mandou pedir a honra de sua companhia para desembarcar com ele no escaler.

Quando voltou na manhã seguinte, ela se esticou no sofá debaixo do toldo e arrumou a saia com o maior decoro sobre os tornozelos.

"Ignorantes e pobres como somos, comparadas com o outro sexo", pensou ela, continuando a frase que havia deixado inacabada no dia anterior, "blindados com todas as armas como são, quando nos excluem até do conhecimento do alfabeto" (e, a partir dessas palavras iniciais, é claro que algo tinha acontecido durante a noite para empurrá-la para o sexo feminino, pois ela falava mais como mulher do que como homem, mas com uma espécie de conteúdo, afinal), "mesmo assim, eles caem do mastro". Aí, deu um grande bocejo e adormeceu. Quando acordou, o navio viajava com uma boa brisa, tão perto da costa que as cidades à borda dos penhascos pareciam protegidas de escorregar para a água apenas pela interposição de alguma grande rocha ou as raízes retorcidas de alguma oliveira antiga. O cheiro de laranjas que emanava de um milhão de árvores carregadas de frutas chegou até ela no convés. De quando em quando, um bando de golfinhos azuis saltava alto no ar, retorcendo as caudas. Esticou os braços (os braços, ela já havia aprendido, não têm efeitos fatais como as pernas) e agradeceu ao céu por não estar saltitando em Whitehall em um cavalo de guerra, nem mesmo sentenciando um homem à morte. "Melhor é", pensou, "estar vestida de pobreza e ignorância, que são as vestes escuras do sexo feminino; melhor deixar o domínio e a disciplina do mundo para outros; melhor desistir da ambição marcial, do amor ao poder e de todos os outros desejos viris, se assim podemos desfrutar mais plenamente dos mais exaltados arrebatamentos conhecidos pelo espírito humano, que são", disse ela em voz alta, como era seu costume quando estava profundamente emocionada "contemplação, solidão, amor".

– Graças a Deus sou mulher! – exclamou, e estava prestes a cair na loucura extrema, que é a mais angustiante tanto na mulher como no homem, de ter orgulho de seu sexo, quando fez uma pausa sobre a palavra singular que, independentemente de tudo o que podemos fazer para colocá-la em seu lugar, se infiltrou no final da última frase: amor. – Amor – disse Orlando. Instantaneamente, tal é a sua impetuosidade, o amor assumiu forma humana, tal é o seu orgulho. Porque outros pensamentos podem se contentar em permanecer abstratos, mas nada irá satisfazer a esse a não ser vestir-se de carne e sangue, de mantilha e anáguas, de meias e gibão. E como todos os amores de Orlando tinham sido mulheres, agora, através da culpável lentidão da estrutura humana para se adaptar às convenções, embora ela própria fosse uma mulher, ainda era uma mulher que amava; e se a consciência de ser do mesmo sexo teve algum efeito, foi acelerar e aprofundar aqueles sentimentos que ela teve como homem. Porque, agora, mil pistas e mistérios que antes eram obscuros tornaram-se claros para ela. Agora, a obscuridade, que divide os sexos e deixa inúmeras impurezas ocuparem sua escuridão, foi removida, e, se existe alguma coisa de verdade e beleza naquilo que o poeta diz, esse afeto ganha em beleza o que se perde na falsidade. Por fim, ela chorou, sabia como Sasha era, e no ardor dessa descoberta, e na busca de todos os tesouros que agora se revelavam, ela estava tão arrebatada e encantada que foi como se uma bala de canhão explodisse em seu ouvido quando uma voz de homem disse:

– Permita-me, senhora – a mão de um homem a pôs de pé; e os dedos de um homem com um veleiro de três mastros tatuado no dedo médio apontaram o horizonte.

– As falésias da Inglaterra, senhora – disse o capitão, e ergueu a mão que apontava o céu para a continência. Orlando então teve um segundo sobressalto, ainda mais violento que o primeiro.

– Cristo Jesus! – exclamou.

Felizmente, a visão de sua terra natal após uma longa ausência desculpou tanto o sobressalto quanto a exclamação, de outra forma, teria dificuldade em explicar ao capitão Bartolus as violentas e conflitantes emoções que agora fervilhavam dentro dela. Como revelar que ela, que agora tremia apoiada em seu braço, tinha sido duque e embaixador? Como explicar que ela, envolta como um lírio em dobras de seda, cortara cabeças e se deitara com mulheres libertinas entre sacos de tesouro nos porões de navios piratas em noites de verão, quando as tulipas estavam em flor e as abelhas zumbiam nos degraus de desembarque? Nem para si mesma ela poderia explicar seu gigantesco sobressalto, quando a resoluta mão direita do capitão apontou as falésias das Ilhas Britânicas.

– Recusar e ceder – murmurou ela –, que delícia; perseguir e conquistar, que respeitável; perceber e raciocinar, que sublime.

Nenhuma dessas palavras assim combinadas lhe parecia errada; no entanto, quando as falésias calcárias iam se aproximando, ela se sentiu culpada; desonrada; impura, o que, para quem nunca havia pensado no assunto, era estranho. Chegavam mais e mais perto, até os coletores de funcho-do-mar, pendurados no meio do penhasco, serem visíveis a olho nu. E, ao observá-los, ela sentia, correndo para cima e para baixo dentro dela, como que um fantasma irônico que no instante seguinte levantaria a saia e desapareceria, Sasha, a perdida, Sasha, a lembrança, cuja realidade ela agora comprovava tão surpreendentemente. Sasha, ela sentia, a esfregar, podar e fazer todo tipo de gestos desrespeitosos para as falésias, para os coletores de funcho-do-mar; e quando os marinheiros começaram a cantar: "Então, adeus, adeus a vocês, damas de Espanha", as palavras ecoaram no coração triste de Orlando, e ela sentiu que, por mais que desembarcar ali significasse conforto, opulência, significasse influência e propriedade (porque ela, sem dúvida, encontraria um nobre príncipe para reinar como sua consorte, sobre metade de Yorkshire), ainda assim, se isso significasse convencionalismo, significasse escravidão, significasse engano, significasse negar seu amor, acorrentar seus membros, franzir seus lábios e conter sua língua, então ela viria com o navio e zarparia de novo para os ciganos.

Em meio à pressa desses pensamentos, porém, emergiu, como uma cúpula de mármore, lisa e branca, algo que, fosse fato ou fantasia, era tão impressionante para a sua imaginação febril que ela se apoiou nele como alguém que vê um enxame de vibrantes libélulas levantar voo, com aparente satisfação, sobre a campânula de vidro que abriga alguns tenros vegetais. A forma disso, pelo acaso da fantasia, evocava aquela lembrança muito antiga e persistente: o homem de testa grande na sala de estar de Twitchett, o homem sentado escrevendo, ou melhor, olhando, mas certamente não para ela, porque ele não parecia vê-la ali com toda a sua roupa elegante, por mais que fosse um adorável rapaz, isso ela não podia negar, e, sempre que pensava nele, o pensamento se espalhava a toda volta, como a lua nascente em águas turbulentas, um lençol de calma prateada. Então sua mão foi para o peito (o capitão ainda segurava a outra), onde as páginas de seu poema estavam escondidas em segurança. Podia ser um talismã que ela guardasse ali. A distração do sexo, que era o dela, e o sentido disso se apaziguaram; ela pensava agora apenas na glória da poesia, e os grandes versos de Marlowe, Shakespeare, Ben Jonson, Milton começaram a ribombar, a reverberar, como se um badalo de ouro batesse contra um sino dourado na torre da catedral que era sua mente. A verdade é que a imagem da cúpula de mármore que seus olhos tinham descoberto tão debilmente que sugeria a testa de um poeta e despertara um rebanho de ideias irrelevantes não era invenção, mas uma realidade; e, enquanto o navio avançava pelo Tâmisa levado por vento favorável, a imagem, com todas as suas associações, deu lugar à verdade, e revelou-se nada mais e nada menos do que a cúpula de uma vasta catedral que se erguia em meio a uma rede de torres brancas.

– St. Paul – disse o capitão Bartolus, parado ao lado dela. – A Torre de Londres – continuou ele. – O Hospital Greenwich, erguido em memória da rainha Mary por seu marido, sua falecida majestade, Guilherme III. A abadia de Westminster. O Parlamento. – Enquanto ele falava, cada um desses famosos edifícios surgia diante deles. Era uma bela manhã de setembro. Uma miríade de pequenas embarcações movia-se de uma margem à outra. Raramente um espetáculo tão alegre e interessante se apresentara ao olhar de um viajante que voltava. Orlando, parada à proa, maravilhada. Durante muito tempo, os olhos dela tinham olhado selvagens e natureza para não se fascinar com aquelas glórias urbanas. Essa, então, era a cúpula de St. Paul que o sr. Wren tinha construído durante sua ausência. Ali perto, uma mecha de cabelo dourado explodia de uma coluna; o capitão Bartolus estava ao seu lado para informá-la que era o Monumento; tinha havido uma praga e um incêndio durante sua ausência, disse ele. Por mais que fizesse para controlar, lágrimas lhe vieram aos olhos, até que lembrou que era próprio da mulher chorar e as deixou fluir. Ali, pensou ela, tinha sido o grande festival. Ali onde as ondas batiam, vivas, ficara o Pavilhão Real. Ali ela conhecera Sasha. Mais ou menos ali (ela olhou para as águas cintilantes), todos tinham se acostumado a ver o barco da mulher congelada com as maçãs no colo. Todo aquele esplendor e corrupção se acabara. Acabaram-se também a noite escura, o aguaceiro monstruoso, as ondas violentas da enchente. Ali onde icebergs amarelos rolaram, girando, com uma tripulação de pobres aterrorizados em cima, um bando de cisnes flutuava, orgulhosos, ondulantes, soberbos. A própria Londres mudara completamente desde a última vez que a vira. Então, ela se lembrou, era um amontoado de casinhas negras, carrancudas. As cabeças dos rebeldes sorriam nas estacas em Temple Bar. As calçadas de paralelepípedos cheiravam a lixo e excremento. Agora, enquanto o navio passava por Wapping, ela vislumbrou amplas e ordeiras vias públicas. Carruagens imponentes puxadas por parelhas de cavalos bem alimentados paradas na frente das casas cujas janelas em arco, cujas vidraças, cujas maçanetas polidas atestavam a riqueza e a modesta dignidade de seus moradores. Senhoras caminhavam na calçada elevada, com suas sedas floridas (ela levou ao olho a luneta do capitão). Cidadãos em casacos bordados cheiravam rapé nas esquinas debaixo dos postes de luz. Ela avistou uma variedade de placas pintadas balançando na brisa e, pelo que estava pintado nelas, podia ter uma rápida ideia do que vendiam lá dentro: tabaco, tecidos, seda, ouro, prataria, luvas, perfumes e mil outros artigos. Enquanto o navio entrava para o ancoradouro junto à Ponte de Londres, ela não conseguiu fazer mais que olhar de relance as vitrines de cafés onde, nas varandas, como o tempo estava bom, um grande número de cidadãos decentes sentava-se à vontade, com pratos de porcelana à frente, cachimbos de cerâmica ao lado, um deles lia um jornal e era frequentemente interrompido pelas risadas ou comentários dos outros. Seriam tavernas, seriam intelectuais, seriam poetas?, ela perguntou ao capitão Bartolus, que gentilmente a informou que naquele mesmo momento, se ela virasse a cabeça um pouco para a esquerda e olhasse na direção do indicador dele – ali – estavam passando pelo Cocoa Tree, onde, sim, lá estava ele, via-se o sr. Addison tomando café; os outros dois senhores – lá, senhora, um pouco à direita do poste, um deles curvado, o outro igual à senhora ou eu – eram o sr. Dryden e o sr. Pope. – Pobres coitados – disse o capitão, com o que queria dizer que eram papistas –, mas homens de valor, mesmo assim – acrescentou, e apressou-se para supervisionar os preparativos para o desembarque. (O capitão deve ter se enganado, como uma referência a qualquer livro de literatura demostrará; mas o erro não foi maldoso, então deixamos assim.) – Addison, Dryden, Pope – Orlando repetiu como se as palavras fossem uma fórmula mágica. Por um momento, ela viu as altas montanhas acima de Broussa; em seguida, ela pisava sua terra nativa.

* * *

Mas agora Orlando aprenderia como a vibração mais tempestuosa da excitação pouco vale diante do semblante de ferro da lei; como ele é mais duro que as pedras da ponte de Londres, que a boca do canhão mais severo. Assim que ela voltou para sua casa em Blackfriars, foi informada por uma sucessão de mensageiros da Bow Street e outros sérios emissários dos tribunais de justiça que era objeto de três processos importantes movidos contra ela durante sua ausência, bem como inúmeros litígios menores, alguns decorrentes, outros dependentes deles. As principais acusações contra ela eram (1) que tinha morrido, e, portanto, não poderia possuir nenhuma propriedade; (2) que era uma mulher, o que quer dizer quase a mesma coisa; (3) que era duque inglês que se casara com certa Rosina Pepita, uma dançarina; e teve com ela três filhos, filhos esses que agora declaram que seu pai havia morrido, e alegavam que todas as suas propriedades deveriam ser transferidas para eles. Acusações assim tão graves, é claro, levaria tempo e dinheiro para resolver. Todas as suas propriedades foram para a Chancelaria e seus títulos declarados em suspenso enquanto os processos estavam em litígio. Assim, foi numa condição altamente ambígua, na incerteza de se ela estava viva ou morta, era homem ou mulher, duque ou nada, que ela se recolheu a sua casa de campo, onde, enquanto aguardava o julgamento, tinha permissão legal para residir incógnito ou incógnita, conforme fosse o caso.

Foi num belo entardecer de dezembro que ela chegou, a neve estava caindo e as sombras violeta tão inclinadas quanto ela as tinha visto do topo do morro em Broussa. A grande casa parecia mais uma cidade do que uma casa, marrom e azul, rosa e roxa na neve, com todas as suas chaminés fumegando ativamente como se inspiradas por vida própria. Ela não conseguiu conter um grito ao vê-la ali tranquila e maciça, pousada no prado. Quando a carruagem amarela entrou no parque e rodou ao longo do caminho entre as árvores, os gamos-vermelhos ergueram a cabeça em expectativa, e observou-se que, em vez de mostrar a timidez natural de sua espécie, eles seguiram a carruagem e ficaram em torno do pátio quando ela parou. Alguns alçaram as galhadas, outros patearam o chão quando foi abaixado o degrau da carruagem e Orlando desceu. Dizem que um chegou a se ajoelhar na neve diante dela. Ela não teve tempo de erguer a mão até a aldrava e ambos os lados da grande porta se abriram, e ali, com lampiões e tochas erguidas acima das cabeças, estavam a sra. Grimsditch, o sr. Dupper e todo um séquito de criados para cumprimentá-la. Mas a ordeira procissão foi interrompida primeiro pela impetuosidade de Canuto, o elkhound, que se jogou com tanto ardor sobre sua dona que quase a derrubou; a seguir, pela agitação da sra. Grimsditch, que ia fazer uma reverência, mas foi dominada pela emoção e só conseguia suspirar Milorde! Milady! Milady! Milorde! até Orlando a confortar com um beijo caloroso em ambas as faces. Depois disso, o sr. Dupper começou a ler um pergaminho, mas os cães latiam, os caçadores sopravam suas cornetas e os gamos, que tinham vindo ao pátio na confusão, bramiam para a lua, e nada progrediu muito, então o grupo se dispersou depois de se aglomerar em torno de sua senhora, atestando de todas as maneiras a grande alegria pelo seu retorno.

Ninguém demonstrou nem por um instante a menor suspeita de que Orlando não fosse o Orlando que conheciam. Se alguma dúvida houvesse na mente humana, a atitude dos gamos e dos cachorros teria sido suficiente para dissipá-la, porque essas criaturas silenciosas, como é bem sabido, são muito melhores juízes de identidade e caráter do que nós. Além disso, a sra. Grimsditch falou, diante de seu prato de chá, para o sr. Dupper naquela noite, se seu senhor era agora uma senhora, ela nunca tinha visto nenhuma mais adorável, nem havia o que escolher entre os dois; um era tão favorecido quanto o outro; eram como dois pêssegos em um galho; do que, disse a sra. Grimsditch, em tom agora confidencial, ela sempre teve suas suspeitas (aqui ela balançou a cabeça, muito misteriosa), o que não foi nenhuma surpresa para ela (aqui ela balançou a cabeça com muita certeza) e, da parte dela, era um grande consolo; porque as toalhas precisavam de conserto, as cortinas da sala do capelão estavam com as beiradas roídas por traças, estava na hora de terem uma senhora entre eles.

— E alguns senhorzinhos e senhorinhas depois — acrescentou o sr. Dupper, com o direito privilegiado, em virtude de seu trabalho sagrado, de falar o que pensava em um assunto assim tão delicado.

Então, enquanto os antigos criados mexericavam na ala dos criados, Orlando pegou um castiçal de prata e vagou mais uma vez pelos salões, corredores, pátios, quartos; viu assomarem novamente o rosto escuro deste lorde guardião, daquele lorde camarista, dentre seus ancestrais; ora sentou-se neste trono, ora reclinou-se naquele dossel de deleite; observou as tapeçarias, como elas oscilavam; observou os caçadores galopando e Daphne em fuga; banhou a mão, como gostava de fazer quando criança, na poça de luz amarela que o luar fazia cair através do leopardo heráldico da janela; deslizou ao longo das pranchas polidas do corredor, cujo lado oposto era de madeira bruta; tocou esta seda, aquele cetim; imaginou que os golfinhos esculpidos nadavam; escovou o cabelo com a escova de prata do rei James; enterrou o rosto no pot-pourri, que era feito como o Conquistador havia ensinado muitos séculos atrás e com as mesmas rosas; olhou para o jardim e imaginou os açafrões dormindo, as dálias adormecidas; viu as frágeis ninfas brilhando brancas na neve e a grande sebe de teixo, tão grossas quanto uma casa, escura atrás dela; viu as laranjeiras e as nespereiras gigantes; tudo isso ela viu, e cada visão, cada som, por rude que seja nossa descrição, encheu seu coração com tal arrebatamento e bálsamo de alegria, que finalmente, cansada, ela entrou na capela e afundou na velha poltrona vermelha em que seus ancestrais costumavam participar do culto. Ali acendeu um charuto (era um hábito que trouxera do Oriente) e abriu o livro de orações.

Era um livrinho encadernado em veludo, bordado com ouro, que estivera nas mãos de Mary, rainha da Escócia, no cadafalso, e os olhos da fé podiam detectar uma mancha acastanhada, que diziam ser de uma gota do sangue real. Mas quem ousa dizer quais pensamentos piedosos despertou em Orlando, quais paixões malignas adormeceu, visto que, de todas as comunhões, esta, com a divindade, é a mais inescrutável? Romancista, poeta, historiador, todos vacilam com a mão a essa porta; nem o próprio crente nos esclarece, pois ele está mais pronto a morrer do que as outras pessoas, ou mais ansioso para compartilhar seus bens? Ele não possui tantos criados e cavalos de carruagem quanto o restante? E, ainda assim, mantém uma fé que diz que deveria fazer dos bens uma inutilidade e a morte desejável. No livro de orações da rainha, junto com a mancha de sangue, havia também uma mecha de cabelo e uma migalha de pão; Orlando agora acrescentou a essas lembranças um floco de tabaco, e assim, a ler e fumar, foi levada pela confusão humana disso tudo, cabelo, pão, mancha de sangue, tabaco, a um estado de espírito de contemplação que deu a ela o ar reverente adequado às circunstâncias, embora ela não tivesse, dizem, nenhum trato com o Deus usual. Nada, entretanto, pode ser mais arrogante, embora nada seja mais comum do que assumir que existe apenas um Deus, e religiões, nenhuma além daquela de quem está falando. Orlando, ao que parecia, tinha uma fé própria. Com todo o ardor religioso do mundo, ela agora refletia sobre seus pecados e as imperfeições que se infiltraram em seu estado espiritual. A letra S, refletiu ela, é a serpente no

Éden do poeta. Por mais que fizesse, ainda havia muitos desses répteis pecaminosos nas primeiras estrofes de *O carvalho*. Mas "S" não era nada, na opinião dela, em comparação com as terminações "ando, endo, indo, ondo". O particípio presente é o próprio Diabo, pensou ela, agora que estamos no lugar em que se acredita em Diabos. Evitar essas tentações é o primeiro dever do poeta, concluiu, pois, como o ouvido é a antecâmara da alma, a poesia pode adulterar e destruir com mais certeza do que a luxúria ou a pólvora. O ofício do poeta, portanto, é o mais alto de todos, continuou ela. Suas palavras chegam aonde outros não chegam. Uma canção boba de Shakespeare fez mais pelos pobres e ímpios do que todos os pregadores e filantropos do mundo. Nenhum tempo, nenhuma devoção é grande demais, e, portanto, isso torna o veículo de nossa mensagem menos distorcido. Devemos moldar nossas palavras até que sejam o mais fino invólucro para nossos pensamentos. Pensamentos são divinos, etc. Assim, é óbvio que ela estava de volta aos limites de sua própria religião cujo tempo só tinha se fortalecido em sua ausência, e depressa adquirira a intolerância de crença.

"Estou crescendo", pensou, pegando a vela afinal. "Estou perdendo algumas ilusões", disse, e fechou o livro da rainha Mary, "talvez para adquirir outras", e desceu às tumbas onde jaziam os ossos de seus ancestrais.

Mas mesmo os ossos de seus ancestrais, sir Miles, sir Gervase e os outros, tinham perdido algo de sua santidade desde que Rustum el Sadi acenara com a mão aquela noite nas montanhas asiáticas. De alguma forma, o fato de que apenas trezentos ou quatrocentos anos atrás esses esqueletos eram homens com sua maneira de agir no mundo como qualquer novo rico moderno, e que fizeram isso adquirindo casas e cargos, ligas e fitas, como qualquer outro novo rico, enquanto poetas, talvez, e homens de grande inteligência e educação preferiam a quietude do campo, escolha pela qual pagaram a pena de extrema pobreza, e agora anunciavam panfletos no Strand, ou pastoreavam ovelhas nos campos, tudo isso a enchia de tristeza. Enquanto estava na cripta, ela pensou nas pirâmides egípcias e nos ossos que se encontram debaixo delas; e as colinas vastas e vazias que se encontram acima do mar de Mármara pareceram, naquele momento, uma morada melhor do que aquela mansão em que nenhuma cama ficava sem colcha e nenhum prato de prata sem sua tampa de prata.

"Estou crescendo", pensou ela ao pegar a vela. "Estou perdendo minhas ilusões, talvez para adquirir novas", e percorreu o longo corredor até seu quarto. Foi um processo desagradável e problemático. Mas surpreendentemente interessante, pensou, ao esticar as pernas diante de sua lareira (um vez que não havia nenhum marinheiro presente), e revisou, como se fosse uma avenida de grandes edifícios, seu progresso ao longo do próprio passado.

Como ela amara os sons quando era menino, e achava a rajada de sílabas tumultuadas dos lábios a melhor de todas as poesias. Então, efeito de Sasha e sua desilusão talvez, caiu uma gota negra nesse alto frenesi, o que transformou sua rapsódia em letargia. Lentamente, abriu-se dentro dela algo intrincado e cheio de câmaras que era preciso explorar com uma tocha, em prosa, e não em versos; e lembrou-se de como havia estudado apaixonadamente aquele médico em Norwich, Browne, cujo livro estava em suas mãos. Ela havia desenvolvido ali, em solidão, após seu relacionamento com Greene, ou tentado desenvolver, Deus sabe como esses crescimentos demoram a surgir, um espírito capaz de resistir. – Eu vou escrever – dissera ela – o que gosto de escrever. – E então rascunhara vinte e seis volumes. Ainda assim, mesmo com todas as suas viagens, aventuras, pensamentos profundos e reviravoltas de um lado para outro, ela estava apenas em processo de fabricação. Só Deus sabia o que o futuro poderia trazer. A mudança era incessante e talvez nunca cessasse. Altas ameias de pensamento, hábitos que pareciam duráveis como pedra, iam abaixo como sombras ao toque de outra mente e deixavam um céu nu e estrelas frescas a cintilar. Aqui ela foi até a janela e, apesar do frio, não pôde deixar de abri-la. Debruçou-se no ar úmido da noite. Ouviu uma raposa regougar na floresta, e o rumor de um faisão pelos galhos. Ouviu a neve deslizar e cair do telhado para o chão. – Juro – exclamou – que isto é mil vezes melhor do que a Turquia. Rustum – exclamou, como se estivesse discutindo com o cigano (e com esse novo poder de ter em mente um argumento e dar continuidade a ele com alguém que não estava ali para contradizer, ela mostrou mais uma vez o desenvolvimento de sua alma) –, você estava errado. Isto é melhor que a Turquia. Cabelo, pão, tabaco, de que miscelânea somos compostos – disse ela (pensando no livro de orações da rainha Mary). – Que fantasmagoria é a mente e ponto de encontro de dissimulações! Em um momento, deploramos nosso nascimento e condução, e aspiramos a uma exaltação ascética; no momento seguinte, somos dominados pelo cheiro de algum caminho de jardim antigo e choramos ao ouvir os tordos cantarem. – E tão perplexo como sempre diante da multiplicidade de coisas que pedem explicação e imprimem sua mensagem sem deixar nenhuma pista quanto ao seu significado, ela jogou o charuto pela janela e foi para a cama. Na manhã seguinte, em busca desses pensamentos, ela pegou pena e papel, e começou de novo *O carvalho*, porque ter tinta e papel em abundância quando alguém teve de se contentar com frutas e margens era uma delícia inconcebível. Assim, ora nas profundezas de desespero ela riscava uma frase, ora nas alturas do êxtase escrevia outra, quando uma sombra escureceu a página. Rapidamente, ela escondeu o manuscrito.

Como sua janela dava para o pátio mais central, como ela havia determinado que não veria ninguém, uma vez que não conhecia ninguém e era legalmente desconhecida, ela primeiro ficou surpresa com a sombra, depois indignada, em seguida (quando olhou para cima e viu quem a projetara) transbordou de alegria. Porque era uma sombra familiar, uma sombra grotesca, a sombra de ninguém mais que a arquiduquesa Harriet Griselda de Finster-Aarhorn e Scand-op-Boom, no território romeno. Ela estava atravessando o pátio com seu velho traje de montaria e manto preto como antes. Nem um fio de cabelo havia mudado. Essa era a mulher que a tinha expulsado da Inglaterra. Este era o ninho daquele abutre obsceno, ali estava a própria ave fatal em pessoa! Ao pensar que ela havia fugido até a Turquia para evitar seus encantos (agora extremamente murchos), Orlando riu alto. Havia algo indizivelmente cômico na visão. Ela parecia, como Orlando havia pensado antes, nada mais que uma lebre monstruosa. Tinha os olhos fixos, as bochechas magras, as altas orelhas desse animal. Ela parou, então, como uma lebre se põe de pé no trigal ao pensar que não é notada, e fitou Orlando, que olhava para ela da janela. Depois de ficar assim por um certo tempo, não havia nada a fazer senão convidá-la para entrar, e logo as duas damas trocavam elogios enquanto a arquiduquesa batia a neve de seu manto.

– Malditas mulheres – disse Orlando para si mesma a caminho do armário para buscar um cálice de vinho –, elas nunca deixam ninguém em paz nem por um minuto. Não existe gente mais investigativa, inquisitiva e intrometida. Foi para escapar dessa pedra no sapato que eu deixei a Inglaterra, e agora... – Então ela se voltou para apresentar a bandeja à arquiduquesa, e, nossa!, em seu lugar havia um cavalheiro alto, de preto. Uma pilha de roupas na grade da lareira. Ela estava sozinha com um homem.

Então, de repente, assim consciente do seu sexo, do qual havia esquecido completamente, e dele, que agora era bastante remoto para ser igualmente perturbador, Orlando viu-se tomada por um desmaio.

– Ai! – exclamou, com a mão no lado do corpo –, que susto você me deu!

– Gentil criatura – exclamou a arquiduquesa, e se pôs sobre um joelho, ao mesmo tempo que levava um cordial aos lábios de Orlando –, perdoe-me por ter enganado você!

Orlando tomou um gole do vinho e o arquiduque, de joelhos, beijou sua mão.

Para resumir, eles desempenharam com grande vigor os papéis de homem e mulher durante dez minutos e então passaram à conversa natural. A arquiduquesa (mas ela deve, no futuro, ser conhecida como arquiduque) contou sua história, que era homem, e sempre tinha sido homem; que vira um retrato de Orlando e se apaixonara perdidamente por ele; que, para alcançar seus fins, tinha se vestido de mulher e se hospedado na padaria; que ficara desolado quando ele fugiu para a Turquia; que tinha ouvido falar de sua transformação e se apressou em oferecer seus serviços (aqui ele deu risadinhas intoleráveis). Para ele, disse o arquiduque Harry, ela era e seria sempre a pétala, a pérola, a perfeição de seu sexo. Os três Pês teriam sido mais persuasivos se não viessem intercalados com risadinhas e hesitações das mais estranhas. "Se isso é amor", Orlando disse a si mesma, olhando para o arquiduque do outro lado da grade da lareira, e agora do ponto de vista da mulher, "há algo altamente ridículo nisso tudo".

De joelhos, o arquiduque Harry fez a mais apaixonada declaração de sua corte. Disse que possuía algo como vinte milhões de ducados numa caixa-forte em seu castelo. Tinha mais terras do que qualquer nobre na Inglaterra. A caça era excelente: ele podia prometer uma variedade de perdizes e tetrazes, com que nenhum mouro, inglês ou escocês podia rivalizar. Verdade que os faisões tinham sofrido em sua ausência, e as corças haviam perdido seus filhotes, mas tudo isso podia ser corrigido, e seria com a ajuda dela quando vivessem juntos na Romênia.

Enquanto ele falava, enormes lágrimas se formaram em seus olhos muito saltados e correram pelos vincos arenosos das faces compridas e magras.

Que os homens choram tão frequentemente e tão irracionalmente quanto as mulheres, Orlando sabia por sua própria experiência como homem; mas estava começando a perceber que as mulheres ficam chocadas quando os homens demonstram emoção em sua presença, e chocada ela estava.

O arquiduque se controlou o suficiente para dizer que ia deixá-la naquele momento, mas voltaria no dia seguinte para a resposta. Isso foi numa terça-feira. Ele veio na quarta-feira; veio na quinta; veio na sexta; e veio no sábado. É verdade que cada visita começava, continuava, ou terminava com uma declaração de amor, mas nos intervalos havia muito espaço para o silêncio. Eles se sentavam de cada lado da lareira e às vezes o arquiduque derrubou os ferros de fogo e Orlando os recolheu. Então o arquiduque relembraria como matara um alce na Suécia, e Orlando perguntaria se era um alce muito grande, e o arquiduque diria que não era tão grande quanto a rena que matara na Noruega; e Orlando perguntaria se ele alguma vez matou um tigre, e o arquiduque diria que matou um albatroz, e Orlando perguntaria (meio escondendo um bocejo) se o albatroz era do tamanho de um elefante, e o arquiduque diria... algo muito sensato, sem dúvida, mas Orlando não ouvira, porque estava olhando para a escrivaninha, para a janela, para a porta. Diante disso, o arquiduque falou: "Eu te adoro", no mesmo momento em que Orlando dizia: "Olhe, está começando a chover", e ficaram ambos muito envergonhados, ruborizaram até o escarlate, e nenhum dos dois conseguia pensar no que dizer em seguida. Na verdade, Orlando não sabia o que falar e, se não tivesse pensado num jogo chamado Pousa Mosca, no qual se pode perder grandes somas de dinheiro com muito pouco dispêndio do espírito, ela teria de casar com ele, talvez; porque não sabia mais como se livrar dele. Com esse recurso, no entanto, e era um recurso simples, precisando de apenas três torrões de açúcar e moscas suficientes, superaram o constrangimento da conversa e evitou-se a necessidade do casamento. De imediato, o arquiduque apostou quinhentas libras que uma mosca pousaria neste torrão e não naquele. Assim, ficaram a manhã inteira ocupados, observando as moscas (que eram naturalmente lentas nessa estação e muitas vezes passavam uma hora ou mais circulando pelo teto), até que finalmente uma bela mosca azul fez sua escolha e a partida foi vencida. Muitas centenas de libras trocaram de mãos entre eles com esse jogo, que o arquiduque, um jogador nato, jurou ser tão bom como corrida de cavalos, e jurou que poderia jogar para sempre. Mas Orlando logo começou a se cansar.

– De que adianta ser uma bela jovem no auge da vida – perguntou ela –, se tenho de passar todas as minhas manhãs observando moscas azuis junto com um arquiduque? Ela começou a detestar açúcar; as moscas a deixavam tonta. Devia haver um jeito de sair daquela dificuldade, pensou, mas ainda era desajeitada nas artes de seu sexo, e, como não podia mais arrancar a cabeça de um homem, nem atravessar seu corpo com um florete, não conseguiu pensar em nenhum método melhor do que o seguinte. Pegou uma mosca azul, tirou-lhe suavemente a vida (já estava meio morta; ou sua bondade para com as criaturas inocentes não o teria permitido) e prendeu-a com uma gota de goma arábica em um torrão de açúcar. Enquanto o arquiduque olhava para o teto, ela habilmente substituiu um torrão por aquele em que havia apostado seu dinheiro, exclamou – Pousou! Pousou! e declarou que tinha ganhado a aposta. O que ela supunha era que o arquiduque, com todo o seu conhecimento de jogo e corridas de cavalos, detectaria a fraude e, como trapacear no Pousa Mosca é o mais hediondo dos crimes, e, nos trópicos, homens chegam a ser barrados da sociedade humana para o meio dos macacos por causa disso, ela calculou que ele seria viril o suficiente para se recusar a ter qualquer coisa mais a ver com ela. Mas avaliou mal a simplicidade do afável nobre. Ele não era um bom juiz de moscas. Uma mosca morta lhe parecia igual a uma viva. Ela pregou-lhe a peça vinte vezes e ele pagou a ela 17.250 libras (o que equivale a cerca de 40.885 libras, 6 xelins e 8 pence de nosso dinheiro atual) antes de Orlando trapacear tão grosseiramente que até ela própria não se enganava mais. Quando o arquiduque finalmente percebeu a verdade, seguiu-se uma cena dolorosa. Ele se ergueu a toda sua altura. Ficou escarlate, de tão ruborizado. Lágrimas rolaram por seu rosto, uma por uma. Que ela tivesse ganhado dele uma fortuna não era nada, podia ficar com tudo; que ela o enganasse era outra coisa; doía-lhe pensar que ela fosse capaz disso; mas que tivesse roubado no Pousa Mosca era imperdoável. Amar uma mulher que rouba no jogo era, disse ele, impossível. Então, ele desabou completamente. Felizmente, disse, recuperando-se ligeiramente, não havia testemunhas. Afinal, ela era apenas uma mulher, disse. Em suma, ele estava disposto a perdoá-la com o cavalheirismo de seu coração e curvou-se para pedir desculpas pela violência de sua linguagem, quando ela interrompeu, e, diante de sua orgulhosa cabeça inclinada, deixou cair um pequeno sapo entre sua pele e a camisa.

Justiça seja feita, diga-se que ela teria infinitamente preferido um florete. Sapos são coisas pegajosas para esconder na própria roupa uma manhã inteira. Mas, se floretes estão proibidos, deve-se recorrer a sapos. Além disso, sapos e risos fazem às vezes o que o frio aço não consegue. Ela riu. O arquiduque enrubesceu. Ela riu. O arquiduque praguejou. Ela riu. O arquiduque bateu a porta.

– Deus seja louvado! – exclamou Orlando, ainda rindo. Ouviu o som das rodas da carruagem que se moviam em ritmo furioso pelo pátio. Ouviu chacoalharem pela estrada. O som ficou cada vez mais fraco. E desapareceu completamente.

– Estou sozinha – disse Orlando em voz alta, já que não havia ninguém para ouvir.

Que o silêncio é mais profundo depois do ruído é algo que ainda espera a confirmação de ciência. Mas que a solidão é mais claramente aparente depois de se ter namorado é algo que muitas mulheres poderiam jurar. Como o som das rodas da carruagem do arquiduque morreram, Orlando sentiu mais e mais distante dela um arquiduque (ela não se importava com isso), uma fortuna (ela não se importava), um título (ela não se importava), a segurança e circunstância da vida de casada (ela não se importava), mas sentiu a vida indo embora, e um amante. – A vida e um amante – murmurou; e foi para a escrivaninha, mergulhou a pena na tinta e escreveu:

"A vida e um amante", uma frase que não fazia sentido nem se ligava ao que havia antes, algo sobre a maneira adequada de se lavar ovelhas para evitar a sarna. Ao ler isso, ela ruborizou e repetiu:

– A vida e um amante. – Em seguida, deixou de lado a caneta, foi para o seu quarto, parou na frente do espelho e arrumou as pérolas em volta do pescoço. Então, uma vez que as pérolas não se destacavam contra um vestido matinal de algodão canelado, ela trocou por um de tafetá cinza pombo; depois, por um flor de pêssego; em seguida, por um de brocado cor de vinho. Talvez precisasse um pouco de pó, e se penteasse o cabelo assim, na testa, podia ficar bom. Então, calçou sapatilhas de bico fino e pôs um anel de esmeralda no dedo. – É isto – disse quando estava pronta e iluminada pelas arandelas de prata de ambos os lados do espelho. Que mulher não se entusiasmaria ao ver o que Orlando viu então queimando na neve: porque em todo o espelho havia gramados nevados, e ela era como uma fogueira, uma sarça ardente, as chamas das velas em torno de sua cabeça, folhas prateadas; ou então o espelho era água verde, e ela uma sereia, cheia de pérolas, uma sereia numa caverna, cantando de forma que os remadores se inclinavam nos barcos e caíam para o fundo, para o fundo, para abraçá-la; tão escura, tão clara, tão dura, tão macia era ela, tão surpreendentemente sedutora que era uma grande pena não haver ninguém para dizer abertamente, com todas as letras: – Que diabo, madame, a senhora é a encarnação da beleza – o que era verdade. Até mesmo Orlando (que não tinha nenhuma vaidade de sua pessoa) sabia disso, pois abriu o sorriso involuntário das mulheres quando sua própria beleza, que não parece delas, forma como uma gota que cai numa fonte e as confronta de repente no espelho; foi esse o sorriso que deu e então ouviu por um momento, eram apenas as folhas se movendo e o pardais cantando, então suspirou, "a vida, um amante", então girou nos calcanhares com extraordinária rapidez; arrancou as pérolas do pescoço, despiu os cetins do corpo, parou, ereta, com a bela calça de seda preta de um nobre comum e tocou a campainha. Quando o criado veio, ela ordenou que pedisse uma carruagem de seis cavalos imediatamente. Tinha sido convocada por assuntos urgentes em Londres. Uma hora depois da partida do arquiduque, ela partiu.

E, enquanto ela viaja, podemos aproveitar a oportunidade, já que a paisagem era de um tipo inglês comum que não precisa de descrição, para chamar a atenção do leitor, mais particularmente do que poderíamos no momento, para uma ou duas observações que escaparam aqui e ali no decurso da narrativa. Por exemplo, podemos observar que Orlando escondeu os manuscritos quando foi interrompida. Em seguida, ela olhou longa e atentamente o espelho; e agora, enquanto rodava para Londres, pode-se notar que se sobressaltou e reprimiu um grito quando os cavalos galopavam mais rápido do que ela gostaria. A modéstia quanto a seus escritos, a vaidade quanto à sua pessoa, os temores por sua segurança, tudo parece indicar que o que foi dito há pouco sobre não ter havido nenhuma mudança em Orlando homem para Orlando mulher estava deixando de ser totalmente verdadeiro. Ela estava se tornando um pouco mais modesta de seu cérebro, como são as mulheres, e um pouco mais vaidosa de sua pessoa, como são as mulheres. Certas suscetibilidades se afirmavam, e outras diminuíam. Dirão alguns filósofos que a mudança de roupa teve muito a ver com isso. Por mais vãs que pareçam, as roupas têm, dizem, funções mais importantes do que apenas nos manter aquecidos. Elas mudam nossa visão do mundo e a visão que o mundo tem de nós. Por exemplo, quando o capitão Bartolus viu a saia de Orlando, mandou estender um toldo para ela imediatamente, insistiu que aceitasse outra fatia de carne e convidou-a para desembarcar com ele no escaler. Essas atenções certamente não lhe seriam brindadas se as suas saias, em vez de ondularem, fossem apertadas nas pernas na forma de calça. E, quando recebemos elogios, nos cabe retribuir. Orlando fez uma reverência; ela obedeceu; ela elogiou os humores do bom homem como não teria feito se a calça dele fosse uma saia de mulher e seu casaco engalanado, o corpete de cetim de uma mulher. Assim, faz muito sentido afirmar que são as roupas que nos vestem e não nós a elas; podemos fazê-las tomar o molde do braço ou do peito, mas elas moldam a seu gosto nossos corações, nossos cérebros, nossas línguas. Então, tendo já usado saias por um tempo considerável, uma certa mudança era visível em Orlando, que, se o leitor olhar acima, encontrará até em seu rosto. Se compararmos o retrato de Orlando homem ao de Orlando mulher, veremos que, embora ambos sejam sem dúvida a mesma pessoa, há certas mudanças. O homem tem a mão livre para agarrar a espada, a mulher tem de usar a dela para segurar os cetins escorregadios de seus ombros. O homem olha o mundo direto no rosto, como se fosse feito para seu uso e moldado ao seu gosto. A mulher olha de soslaio, cheia de sutileza, até mesmo de suspeita. Se ambos usassem as mesmas roupas, é possível que seus pontos de vista fossem os mesmos.

Essa é a opinião de alguns filósofos e sábios, mas, no geral, nos inclinamos por outra. A diferença entre os sexos é, felizmente, de maior profundidade. As roupas são apenas um símbolo de algo escondido bem fundo. Foi uma mudança na própria Orlando que ditou a escolha de roupa de mulher e sexo de mulher. E talvez nisso ela estivesse apenas expressando um pouco mais abertamente do que o normal (abertura era, de fato, a alma de sua natureza) algo que acontece com a maioria das pessoas sem ser tão claramente expresso. Pois aqui, mais uma vez, chegamos a um dilema. Por diferentes que sejam os sexos, eles se misturam. Em todo ser humano, ocorre uma vacilação de um sexo para o outro, e muitas vezes é apenas a roupa que mantém a aparência masculina ou feminina, enquanto por baixo o sexo é o oposto do que está por cima. Todo mundo já experimentou as complicações e confusões que daí resultam; mas aqui deixamos a questão geral e observamos apenas o efeito estranho que teve no caso particular da própria Orlando.

Porque era essa mistura nela de homem e mulher, predominando um, depois a outra, que muitas vezes dava um aspecto inesperado à sua conduta. Os que tinham curiosidade sobre seu sexo diziam, por exemplo: se Orlando é mulher, como nunca leva mais de dez minutos para se vestir? E suas roupas não são escolhidas ao acaso e às vezes um tanto surradas pelo uso? E diziam, ainda, ela não tem nada da formalidade do homem, nem do amor do homem pelo poder. Ela tem um coração muito terno. Não suporta ver um burro espancado ou um gatinho a se afogar. Notavam ainda que ela detestava assuntos domésticos, acordava de madrugada e saía pelos campos no verão, antes de o sol nascer. Nenhum fazendeiro sabia mais sobre as plantações do que ela. Bebia com os melhores amigos e gostava de jogos de azar. Montava bem e conduzia uma parelha de seis cavalos a galope pela ponte de Londres. E ainda, embora ousada e ativa como um homem, notavam que a visão de alguém em perigo provocava palpitações mais femininas. Ela explodia em lágrimas à menor provocação. Não era versada em geografia, considerava a matemática intolerável e tinha alguns caprichos mais comuns em mulheres do que em homens, como, por exemplo, dizer que viajar para o sul é viajar morro abaixo. Porém, dizer se Orlando era mais homem ou mais mulher é impossível e não dá para decidir agora. Porque sua carruagem está sacudindo nas pedras. Ela chegara a sua casa na cidade. Baixaram os degraus; abriam os portões de ferro. Ela estava entrando na casa de seu pai em Blackfriars, a qual, embora a moda estivesse abandonando depressa aquela parte da cidade, ainda era uma mansão agradável e espaçosa, com jardins que desciam para o rio, e um bosque de nogueiras agradável de se percorrer.

    Ali ela se instalou e começou imediatamente a olhar em torno, à procura do que viera buscar, isto é, a vida e um amante. Acerca da primeira podia haver alguma dúvida; o segundo ela encontrou sem a menor dificuldade dois dias depois de sua chegada. Foi numa terça-feira que ela chegou à cidade. Na quinta, foi passear no Mall, como era então o costume para gente de qualidade. Não tinha seguido mais do que uma ou duas curvas da avenida e já era observada por um pequeno grupo de pessoas vulgares que vão lá para espionar seus superiores. Quando passou por eles, uma mulher comum que carregava uma criança ao peito deu um passo à frente, olhou atentamente o rosto de Orlando, e exclamou: – A gente tá com sorte, é a lady Orlando! Seus companheiros se aglomeraram em torno, e, em um momento, Orlando se viu no centro de uma multidão de curiosos cidadãos e esposas de comerciantes, todos ansiosos por contemplar a heroína do célebre processo. Tal foi o interesse que o caso despertou nas mentes das pessoas comuns. Ela podia, de fato, ter se visto seriamente incomodada pela pressão da turba, tinha esquecido que mulheres não devem andar sozinhas em lugares públicos, não fosse um cavalheiro alto dar um passo à frente e oferecer a ela a proteção de seu braço. Era o arquiduque. Ela ficou muito incomodada, mas ainda assim divertiu-se um pouco com aquela visão. Não só esse magnânimo nobre a perdoara, como, para demonstrar que não se importava com sua leviandade com o sapo, tinha adquirido uma joia na forma desse réptil que a forçou a aceitar como prova de seu sentimento enquanto a levava até sua carruagem.

Ora, com a multidão, com o duque, com a joia, ela foi para casa no pior humor que se possa imaginar. Seria impossível passear sem ser meio sufocada, receber de presente um sapo de esmeraldas e ser pedida em casamento por um arquiduque? O caso lhe pareceu mais brando no dia seguinte, quando encontrou na mesa de café da manhã meia dúzia de cartões de algumas das maiores damas do país; lady Suffolk, lady Salisbury, lady Chesterfield, lady Tavistock e outras que chamavam sua atenção, da maneira mais polida, para as antigas alianças entre suas famílias e ela própria, e desejavam a honra de conhecê-la. No dia seguinte, um sábado, muitas dessas grandes damas a visitaram pessoalmente. Na terça-feira, por volta do meio-dia, seus criados trouxeram convites para várias festas, jantares e reuniões no futuro próximo; de forma que Orlando se viu lançada imediatamente, e com algum ruído e espuma, nas águas da sociedade de Londres.

Fazer um relato verdadeiro da sociedade de Londres naquela época ou mesmo em qualquer outra está além dos poderes do biógrafo ou do historiador. Somente aqueles que têm pouca necessidade da verdade e nenhum respeito por ela, os poetas e os romancistas, podem fazer tal coisa, porque esse é um dos casos em que a verdade não existe. Não existe nada. A coisa toda é um miasma, uma miragem. Para deixar mais claro o que queremos dizer: Orlando voltava dessas reuniões às três ou quatro da manhã com as faces feito uma árvore de Natal e os olhos como estrelas. Ela desamarrava uma renda, andava pelo quarto mil vezes, desamarrava outra renda, parava e caminhava pelo quarto outra vez. Muitas vezes, o sol brilhava nas chaminés de Southwark antes que ela pudesse se convencer a ir para a cama, e lá ficava deitada, virando e revirando, rindo e suspirando por uma hora ou mais até dormir afinal. E por que toda essa agitação? A sociedade. E o que tinha a sociedade dito ou feito para lançar uma dama razoável em tal agitação? Francamente, nada. Por mais que puxasse pela memória, como faria no dia seguinte, Orlando nunca se lembrava de uma única palavra que significasse alguma coisa. Lorde O. tinha sido galante. Lorde A., educado. O marquês de C., charmoso. O sr. M., divertido. Mas, quando tentava se lembrar em que consistiam a galanteria, a polidez, o charme ou o humor, ela se via obrigada a considerar falha a sua memória, pois não conseguia apontar nada. Era sempre a mesma coisa. Não sobrava nada no dia seguinte, mas a emoção do momento era intensa. Assim, somos forçados a concluir que a sociedade é uma daquelas bebidas que as donas de casa qualificadas servem quentes na época do Natal, cujo sabor depende da combinação e mistura adequada de uma dúzia de ingredientes diferentes. Tira-se um, e ela fica insípida. Tira-se o senhor O., lorde A., lorde C. ou o sr. M. e separadamente cada um não é nada. Mexa-os todos juntos e se combinam para liberar o sabor mais inebriante, o aroma mais sedutor. No entanto, essa embriaguez, essa sedução, foge inteiramente à nossa análise. A sociedade é, portanto, tudo e nada ao mesmo tempo. A sociedade é a beberagem mais poderosa do mundo e a sociedade não tem absolutamente nenhuma existência. Só os poetas e romancistas conseguem lidar com esses monstros; com esses algos e nadas suas obras incham a um tamanho prodigioso; e com a maior boa vontade do mundo deixamos a eles tais coisas.

Seguindo o exemplo de nossos predecessores, portanto, diremos apenas que a sociedade no reinado da rainha Anne era de um brilho incomparável. Ser admitido a ela era o objetivo de toda pessoa educada. As graças eram supremas. Os pais instruíam seus filhos; as mães, suas filhas. Nenhuma educação era completa para ambos os sexos se não incluísse a ciência do comportamento, a arte de fazer mesuras e reverências, o domínio da espada e do leque, o cuidado com os dentes, a conduta da perna, a flexibilidade do joelho, os métodos corretos de entrar e sair da sala, com mil eteceteras, que serão imediatamente reconhecidos por quem quer que tenha estado em sociedade. Como Orlando tinha sido elogiada pela rainha Elizabeth pela forma como entregava uma tigela de água de rosas quando menino, deve-se supor que ela estava bem à altura das circunstâncias. Porém, é verdade que às vezes havia nela uma distração que a tornava desajeitada; ela era capaz de pensar em poesia quando deveria pensar em tafetá; seu passo era um pouco firme demais para uma mulher, talvez, e seus gestos, um tanto abruptos, podiam pôr em risco uma xícara de chá de vez em quando.

Se essa ligeira deficiência era suficiente para contrabalançar o esplendor de seu porte, se ela herdou uma gota a mais daquele humor negro que corria nas veias de toda a sua estirpe, certo é que ela não precisou sair para o mundo mais que vinte vezes antes que alguém a ouvisse perguntar, se houvesse alguém para ouvi-la além de seu spaniel Pippin: – Que diabo está acontecendo comigo? – A ocasião era terça-feira, 16 de junho de 1712; ela tinha acabado de voltar de um grande baile em Arlington House; a aurora luzia no céu, e ela tirava as meias. – Não me importa se eu nunca encontrar outra alma enquanto viver – Orlando exclamou e explodiu em lágrimas. Amantes ela tinha em abundância, mas a vida, que era, afinal, de alguma importância para ela, lhe escapava. "É isto?", perguntou ela, mas não havia ninguém para responder, "é isto", ela terminou a frase mesmo assim, "o que as pessoas chamam de vida?". O spaniel ergueu a pata da frente como prova de solidariedade. O spaniel lambeu Orlando com a língua. Orlando acariciou o spaniel com a mão. Orlando beijou o spaniel com os lábios. Em resumo, havia entre eles a mais verdadeira solidariedade que pode haver entre um cachorro e sua dona, e ainda assim não se pode negar que a mudez dos animais é um grande impedimento para o refinamento das relações. Eles abanam o rabo; eles curvam a parte da frente do corpo e erguem a traseira; eles rolam, pulam, dão patadas, choram, latem, babam, têm todo tipo de cerimônias e artifícios próprios, mas a coisa toda de nada adianta, uma vez que não podem falar. Esse era o seu desentendimento, pensou ela, pondo o cachorro delicadamente no chão, com a alta sociedade em Arlington House. Eles também abanam os rabos, se curvam, rolam, pulam, dão a pata e babam, mas não falam. – Todos esses meses em que estive fora do mundo – disse Orlando, e jogou uma meia do outro lado do quarto –, eu não ouvi nada que Pippin não tenha me dito. Estou com frio. Estou feliz. Estou com fome. Peguei um rato. Enterrei um osso. Por favor, beije meu focinho. – E não me bastou.

Como, em tão pouco tempo, ela passou da embriaguez à repulsa, nós só podemos tentar explicar considerando que essa composição misteriosa que chamamos de sociedade não é nada absolutamente boa ou má em si, mas tem um espírito, volátil, mas potente, o que embriaga quando você acha delicioso, como Orlando achou, ou lhe dá dor de cabeça quando você acha repulsivo, como Orlando achou. Quanto à faculdade da fala ter muito a ver com isso de uma forma ou de outra, nós deixamos em suspenso. Muitas vezes, uma hora silenciosa é a mais arrebatadora;

inteligência brilhante pode ser tão tediosa que não se pode descrever. Mas isso deixamos para os poetas, e seguimos com a nossa história.

Orlando jogou a segunda meia depois da primeira e foi para a cama bem desanimada, decidida a renegar a sociedade para sempre. Mas novamente, como se viu, ela foi muito precipitada em chegar a suas conclusões. Já na manhã seguinte, ao acordar, encontrou, entre as cartas-convite usuais sobre a mesa, uma de certa grande dama, a condessa de R. Depois de ter decidido na noite anterior que nunca mais frequentaria a sociedade, só podemos explicar o comportamento de Orlando (ela enviou um mensageiro rápido à casa R. para dizer que visitaria sua senhoria com todo o prazer do mundo) pelo fato de ainda estar sofrendo o efeito de três palavras doces pronunciadas em seu ouvido no convés do *Enamoured Lady* pelo capitão Nicholas Benedict Bartolus, enquanto navegavam Tâmisa abaixo. Addison, Dryden, Pope, dissera ele, apontando o Cocoa Tree, e Addison, Dryden e Pope ecoavam em sua cabeça como um encantamento desde então. De quem é a culpa dessa loucura? Mas assim foi. Toda a sua experiência com Nick Greene não lhe ensinara nada. Nomes assim ainda exerciam sobre ela o fascínio mais poderoso. Talvez devamos acreditar em alguma coisa, e como Orlando, conforme dissemos, não acreditava nas divindades habituais, ela depositava sua credulidade em grandes homens, mas com uma diferença. Almirantes, soldados, estadistas não a comoviam nem um pouco. Mas a simples ideia de um grande escritor levava a tal ponto sua crença que ela quase acreditava que fosse invisível. Seu instinto era sólido. Só podemos acreditar totalmente, talvez, naquilo que não se vê. O breve vislumbre que teve desses grandes homens do convés do navio era da natureza de uma visão. Se a xícara era de porcelana, se o jornal era uma gazeta, ela duvidava. Quando lorde O. disse certa vez que tinha jantado com Dryden na noite anterior, ela não acreditou. Agora, o salão de lady R. tinha fama de ser a antessala da presença do gênio; era o lugar onde homens e mulheres se reuniam para balançar incensórios e entoar hinos ao busto de gênios em um nicho na parede. Às vezes, o próprio Deus brindava com sua presença por um momento. Só o intelecto garantia a entrada, e nada diziam ali dentro (assim relatavam) que não fosse arguto.

Foi, portanto, com grande apreensão que Orlando entrou na sala. Encontrou um grupo já reunido em semicírculo em torno da lareira. Lady R., uma senhora quase idosa, de pele morena, com uma mantilha de renda preta na cabeça, estava sentada em uma grande poltrona no centro. Como era um pouco surda, podia assim controlar a conversa de seus dois lados. De ambos os lados dela sentavam-se homens e mulheres da mais alta distinção. Dizem que todos os homens tinham sido primeiro-ministro e todas as mulheres, sussurravam, amantes de um rei. Certo é que todos eram brilhantes, e todos famosos. Orlando sentou-se com profunda reverência em silêncio... Depois de três horas, ela fez uma reverência profunda e foi embora.

Mas o que, o leitor pode perguntar com alguma exasperação, aconteceu nesse entretempo. Em três horas, um grupo desses deve ter falado das coisas mais atiladas, mais profundas, das coisas mais interessantes do mundo. É o que pareceria realmente. Mas o fato parece ser que não disseram nada. É uma característica curiosa que compartilham com todas as mais brilhantes sociedades que o mundo já viu. A velha madame du Deffand e seus amigos falaram durante cinquenta anos sem parar. E disso tudo, o que resta? Talvez três provérbios espirituosos. De forma que temos a liberdade de supor que nada foi dito, ou que nada inteligente foi dito, ou que a fração de três ditos espirituosos durou dezoito mil, duzentas e cinquenta noites, do que não resta nenhum crédito de inteligência para nenhum deles.

A verdade parece ser... se nos atrevermos a usar tal palavra nesse caso... que todos esses grupos de pessoas são vítimas de um encantamento. A anfitriã é a nossa Sibila moderna. Ela é uma bruxa que coloca seus convidados sob um feitiço. Nesta casa, eles se consideram felizes; naquela, inteligentes; numa terceira, profundos. É tudo uma ilusão (nada contra, pois ilusões são as mais valiosas e necessárias de todas as coisas, e quem é capaz de criar uma está entre os maiores benfeitores do mundo), mas, como é notório que as ilusões são destruídas pelo conflito com a realidade, então nenhuma felicidade real, nenhuma inteligência real, nenhuma profundidade real são toleradas onde predomina a ilusão. Isso explica por que madame du Deffand não disse mais do que três coisas inteligentes no curso de cinquenta anos. Se tivesse dito mais, seu círculo teria sido destruído. A inteligência, ao sair de seus lábios, atropela a conversa em curso como uma bola de canhão ceifa as violetas e as margaridas. Quando ela fez sua famosa "*mot de Saint Denis*", a própria grama ficou chamuscada. Em seguida, desilusão, desolação. Nem uma palavra pronunciada. – Poupe-nos de outra dessas, pelo amor de Deus, madame! – exclamaram seus amigos a uma voz. E ela obedeceu. Por quase dezessete anos, ela não disse nada memorável e tudo correu bem. A bela colcha da ilusão permaneceu intocada em seu círculo, assim como permaneceu intocada no círculo de lady R. Os convidados pensavam que eram felizes, pensavam que eram inteligentes, pensavam que eram profundos, e, como pensavam assim, outras pessoas pensavam ainda mais fortemente; e então correu a notícia de que nada era mais encantador do que uma reunião de lady R.; todos invejavam os que eram admitidos; os que eram admitidos invejavam a si mesmos porque outras pessoas os invejavam; e então parecia não haver fim para isso; a não ser o que temos de relatar agora.

Na terceira vez que Orlando foi lá, ocorreu um certo incidente. Ela ainda tinha a ilusão de que estava ouvindo os epigramas mais brilhantes do mundo, embora, na verdade, o velho general C. apenas contava, com muitos detalhes, como a gota havia deixado sua perna esquerda e ido para a direita, enquanto o sr. L. interrompia quando qualquer nome era mencionado – R.? Ah! Eu conheço Billy R. tão bem quanto me conheço. S.? Meu amigo mais querido.

T.? Fiquei com ele quinze dias em Yorkshire – que, tal é a força da ilusão, soava como a réplica mais espirituosa, o mais perspicaz comentário sobre a vida humana, e mantinha o grupo muito animado; quando a porta se abriu e entrou um cavalheiro pequeno, cujo nome Orlando não captou. Logo ela se viu tomada por uma sensação curiosamente desagradável. A julgar pelos rostos, os outros começaram a sentir a mesma coisa. Um cavalheiro disse que havia um vento encanado. A marquesa de C. temia que houvesse um gato debaixo do sofá. Foi como se os olhos deles se abrissem lentamente após um sonho agradável e nada encontrassem além de uma pia barata e uma colcha suja. Era como se os vapores de um vinho delicioso os abandonasse lentamente. O general ainda falava e o sr. L. ainda rememorava. Mas ficava cada vez mais evidente o quanto o pescoço do general estava vermelho, como era careca o sr. L. Quanto ao que diziam... não se pode imaginar nada mais tedioso e trivial. Ficaram todos inquietos e quem tinha leques escondeu com eles os bocejos. Por fim, lady R. bateu os braços no braço da poltrona. Ambos os cavalheiros pararam de falar.

Então, o pequeno cavalheiro disse:

Em seguida, disse:

E disse, por fim (suas falas são muito conhecidas para exigir repetição e, além disso, podem ser todas encontradas em suas obras publicadas).

Ali, não se pode negar, havia verdadeira inteligência, verdadeira sabedoria, verdadeira profundidade. O grupo ficou totalmente consternado. Uma fala dessas já era bem mal; mas três, uma depois da outra, na mesma noite! Nenhuma sociedade podia sobreviver a isso.

– Sr. Pope – disse a velha lady R. com a voz trêmula de fúria sarcástica –, o senhor tem prazer em ser engenhoso. – O sr. Pope ficou vermelho. Ninguém falou uma palavra. Ficaram sentados em silêncio mortal por uns vinte minutos. Então, um por um, levantaram-se e saíram da sala. Era duvidoso que voltassem depois de tal experiência. Ouvia-se os criados chamando as carruagens por toda a South Audley Street. Portas bateram e carruagens partiram. Orlando se viu ao lado do sr. Pope na escada. Sua figura magra e disforme abalada por uma variedade de emoções. Seus olhos disparavam dardos de maldade, raiva, triunfo, inteligência e terror (ele tremia como uma folha). Parecia um réptil atarracado com um topázio em chamas na testa. Ao mesmo tempo, a mais estranha tempestade de emoções tomou conta da infeliz Orlando. Uma desilusão tão completa como essa que sofrera menos de uma hora atrás deixa a mente oscilando de um lado para o outro. Tudo parece dez vezes mais vazio e absoluto do que antes. É um momento repleto do maior perigo para o espírito humano. Mulheres se tornam freiras e homens se tornam padres em momentos assim. Em momentos assim, homens ricos distribuem sua riqueza; e homens felizes cortam a garganta com facas de trinchar. Orlando teria feito isso tudo de bom grado, mas havia ainda uma coisa mais difícil para ela fazer, e fez. Convidou o sr. Pope para ir à sua casa.

Pois se é temerário entrar desarmado na cova de um leão, temerário navegar pelo Atlântico num barco a remo, temerário ficar numa perna só no alto da St. Paul, é ainda mais temerário ir para casa sozinha com um poeta. Um poeta é Atlântico e leão em um só. Enquanto um nos afoga, o outro nos morde. Se sobrevivemos aos dentes, sucumbimos às ondas. Um homem que pode destruir ilusões é ao mesmo tempo fera e dilúvio. Ilusões são para a alma o que a atmosfera é para a terra. Se sobe esse ar macio, a planta morre, a cor desaparece. A terra que pisamos é cinza seca. É marga que pisamos e pedras de fogo chamuscam nossos pés. A verdade nos desmancha. A vida é um sonho. O acordar dele é que nos mata. Quem rouba nossos sonhos, rouba nossa vida (e assim por diante por seis páginas, se quiserem, mas o estilo é tedioso e pode muito bem ser abandonado).

Diante disso, porém, Orlando devia ser um monte de cinzas na hora em que a carruagem parou diante de sua casa em Blackfriars. Que ela ainda era carne e sangue, embora exausta, claro, deve-se inteiramente ao fato para o qual chamamos atenção antes nesta narrativa. Quanto menos vemos, mais acreditamos. Ora, as ruas que ficam entre Mayfair e Blackfriars eram naquela época muito pouco iluminadas. Verdade, a iluminação foi um grande avanço em relação à era elisabetana. Então o transeunte noturno tinha de confiar nas estrelas ou na chama vermelha de algum vigia noturno para salvá-lo das poças de cascalho em Park Lane ou dos bosques de carvalho onde porcos refocilavam na Tottenham Court Road. Mas mesmo assim carecia muito de nossa eficiência moderna. Postes de luz com lamparinas a óleo ocorriam a cada duzentos metros ou mais, mas entre um e outro havia um considerável trecho de escuridão total. Então, durante dez minutos, Orlando e o sr. Pope estavam na escuridão; depois, por cerca de meio minuto de novo na luz. Um estado de espírito muito estranho surgiu assim em Orlando. Conforme a luz diminuía, ela sentiu baixar sobre ela o bálsamo mais delicioso. "É mesmo uma grande honra para uma jovem rodar com o sr. Pope", ela começou a pensar, olhando o contorno do nariz dele. "Eu sou muito abençoada pelo meu sexo. A centímetros de mim... na verdade, sinto o nó das fitas de seu joelho contra a minha coxa; está a maior inteligência dos domínios de sua majestade. As eras futuras pensarão em nós com curiosidade e furiosa inveja de mim." E veio o poste outra vez. "Que grande idiota eu sou!", pensou ela. "Não existe nada como fama e glória. As eras por vir nunca pensarão em mim, nem no sr. Pope. O que é uma 'era' de fato? O que somos nós?", e o avançar dos dois pela Berkeley Square parecia o tatear de duas formigas cegas, momentaneamente juntas sem nenhum interesse ou preocupação em comum, através de um deserto enegrecido. Ela estremeceu. Mas aqui estava de novo a escuridão. Sua ilusão reviveu. "Como é nobre a testa dele", pensou ela (confundindo uma protuberância em uma almofada com a testa do sr. Pope na escuridão). "Que peso de gênio vive nela! Quanta inteligência, sabedoria e verdade, quanta riqueza de todas essas joias, de fato, pelas quais as pessoas estão prontas a trocar suas vidas! A sua é a única luz que brilha para sempre. Não fosse você, a peregrinação humana seria realizada em total escuridão"; (nesse momento, a carruagem deu uma grande guinada ao cair numa valeta em Park Lane) "sem gênio, estaríamos caídos, desfeitos. Mais augusto, mais lúcido dos faróis" – ela assim qualificava a saliência na almofada quando passaram por uma das luzes da rua em Berkeley Square e ela percebeu seu erro. O sr. Pope tinha uma testa não maior que de qualquer outro homem. "Miserável", pensou ela, "como me enganou! Tomei essa saliência pela sua testa. Quando alguém te vê com clareza, como é ignóbil, como é desprezível! Deformado e fraco, não há nada para venerar em você, mas muito a lamentar, muito a desprezar".

Estavam de novo no escuro e sua raiva mudou assim que não conseguia ver nada além dos joelhos do poeta.

"Mas eu é que sou miserável", refletiu ela, uma vez que estavam no escuro completo de novo, "por mais vil que você seja, não sou ainda mais vil? É você que me alimenta e protege, você que espanta a fera, assusta o selvagem, faz-me roupas com a lã da seda e tapetes com a das ovelhas. Se quero adorar, você não me fornece uma imagem de si mesmo e a coloca no céu? As provas de seu cuidado não estão por toda parte? O quanto devo, portanto, ser humilde, grata, dócil? Que minha alegria seja toda servi-lo, honrá-lo e obedecê-lo."

Então chegaram ao grande poste de luz na esquina do que é agora Piccadilly Circus. A luz brilhou em seus olhos, e ela viu, além de algumas degradadas criaturas de seu próprio sexo, dois infelizes pigmeus em uma terra deserta. Ambos nus, solitários e indefesos. Um impotente para ajudar o outro. Ambos muito ocupados em cuidar de si mesmos. Olhou bem de frente o sr. Pope. "É tão inútil", pensou ela, "você pensar que pode me proteger quanto eu pensar que posso te adorar. A luz da verdade bate sobre nós sem sombra, e a luz da verdade não é nada favorável a nós dois".

Claro que esse tempo todo eles continuaram conversando agradavelmente, como pessoas de classe e educação, sobre o temperamento da rainha e a gota do primeiro-ministro, enquanto a carruagem ia da luz para o escuro por Haymarket, ao longo da Strand, subia a Fleet Street, e por fim alcançava sua casa em Blackfriars. Durante algum tempo, os espaços escuros entre as luzes vinham se tornando mais brilhantes e as próprias luzes menos brilhantes. Significava que o sol estava nascendo, e foi na luz uniforme, mas confusa, de uma manhã de verão em que tudo se vê, mas nada se vê claramente, que eles desceram, o sr. Pope deu a mão para Orlando descer de sua carruagem e Orlando fez uma reverência ao sr. Pope para que entrasse primeiro em sua mansão, com a mais escrupulosa atenção aos ritos da elegância.

A partir da passagem anterior, no entanto, não se deve supor que o gênio (mas a doença está agora erradicada nas Ilhas Britânicas, o falecido lorde Tennyson, dizem, foi a última pessoa a sofrer com isso) está constantemente aceso, pois senão veríamos tudo claro e talvez morrêssemos queimados no processo. Em vez disso, ele lembra o farol em seu funcionamento, que envia um raio e não mais por algum Tempo; salvo que o gênio é muito mais caprichoso em suas manifestações e pode piscar seis ou sete raios em rápida sucessão (como o sr. Pope fez essa noite) e depois mergulhar na escuridão por um ano ou para sempre. Orientar-se por seus raios é, portanto, impossível, e quando estão no trecho escuro, homens de gênio são, dizem, muito iguais às outras pessoas.

Para Orlando foi uma felicidade, embora a princípio decepcionante que assim fosse, porque passou a viver muito na companhia de homens de gênio. Nem eram eles tão diferentes do restante de nós como se poderia supor. Ela descobriu que Addison, Pope, Swift gostavam de chá. Gostavam de pérgulas. Colecionavam pedacinhos de vidro colorido. Adoravam grutas. Honras não lhes eram desagradáveis. Elogios eram deliciosos. Usavam terno cor de ameixa num dia e cinza no outro. O sr. Swift tinha uma bengala de ratã. O sr. Addison perfumava os lenços. O sr. Pope sofria com sua cabeça. Um mexerico não era malvisto. Nem deixavam de ter seus ciúmes. (Anotamos algumas reflexões que ocorreram a Orlando desordenadamente.) No início, ela irritou-se consigo mesma por notar essas ninharias, e tinha um caderno para escrever seus ditos memoráveis, mas a página permaneceu vazia. Mesmo assim, ela recobrou o ânimo, e passou a rasgar seus convites para grandes festas; mantinha as noites livres; começou a esperar ansiosamente a visita do sr. Pope, do sr. Addison, do sr. Swift e assim por diante. Se o leitor aqui buscar referências em *A violação da madeixa*, no *Spectator*, em *As viagens de Gulliver*, vai entender exatamente o que essas misteriosas palavras podem significar. Na verdade, biógrafos e críticos podem se poupar de todo seu esforço se os leitores apenas seguirem esse conselho. Pois, quando lemos:

Se a Ninfa violar a lei de Diana,
ou se partir a frágil porcelana,
se o brocado, ou sua honra é maculada,
se esquece as preces, perde a mascarada,
no baile perde colar e coração.

... sabemos, como se o tivéssemos ouvido em pessoa, como a língua do sr. Pope tremulava como a de um lagarto, como seus olhos brilhavam, como sua mão tremia, como ele amou, como mentiu, como sofreu. Em resumo, cada segredo da alma de um escritor, cada experiência de sua vida; cada qualidade de sua mente está escrita claramente em suas obras; no entanto, exigimos que os críticos expliquem uma e os biógrafos exponham a outra. O peso do tempo nas mãos das pessoas é a única explicação para essa monstruosidade.

Então, agora que já lemos uma ou duas páginas do *Violação da madeixa*, sabemos exatamente por que Orlando estava tão divertido, tão assustado, tão ruborizado e com os olhos brilhantes naquela tarde.

A sra. Nelly então bateu à porta para dizer que o sr. Addison estava esperando sua senhoria. Diante disso, o sr. Pope se levantou com um sorriso irônico e saiu mancando. Entrou o sr. Addison. Vamos, enquanto ele se senta, ler a seguinte passagem do *Spectator*:
"Considero a mulher um animal lindo, romântico, que pode ser adornado com peles e plumas, pérolas e diamantes, minérios e sedas. O lince deve lançar sua pele a seus pés para fazer uma estola; o pavão, o papagaio, o cisne devem contribuir com seu regalo; no mar devem buscar as conchas e nas pedras as gemas, e todas as partes da natureza fornecer sua parte para o embelezamento de uma criatura que é a sua obra mais consumada. Tudo isso, devo conceder-lhes, mas quanto à anágua de que falava há pouco, não posso, nem vou permitir."
Temos esse cavalheiro com tricórnio e tudo, na concha de nossas mãos. Olhamos mais uma vez com a lupa. Ele não está tão claro até a própria ruga da meia? Todas as ondulações e curvas de sua inteligência não estão expostas diante de nós, e sua benignidade, sua timidez, sua urbanidade e o fato de que se casaria com uma condessa e morreria de maneira muito respeitável no final? Está tudo claro. E quando o sr. Addison disse o que tinha a dizer, ouve-se uma terrível batida à porta, e o sr. Swift, que tinha maneiras arbitrárias, entra sem avisar. Um momento, onde está *As Viagens de Gulliver*? Aqui está! Vamos ler uma passagem da viagem aos Houyhnhnms:
"Eu desfrutava de perfeita saúde corporal e tranquilidade mental; não enfrentava traição nem inconstância de amigo, nem ofensas de inimigo secreto ou declarado. Não tinha ocasião de subornar, lisonjear ou cafetinar para obter o favor de qualquer grande homem ou de seu subordinado. Não precisava de uma barreira contra fraude ou opressão; não havia ali nem médico para destruir meu corpo, nem advogado para arruinar minha fortuna; nem informante para vigiar minhas palavras e meus atos, ou forjar acusações encomendadas contra mim: ali não havia gozadores, censores, malandros,

batedores de carteira, salteadores de estrada, invasores de casas, advogados, prostitutas, bufões, jogadores, políticos, sabidos, rabugentos falantes enfadonhos..."

Mas pare, pare com esse bombardeio de palavras, senão vai nos esfolar a todos vivos, e a si mesmo também! Nada pode ser mais claro do que esse homem violento. Ele é tão áspero e ainda assim tão limpo; tão brutal, porém tão gentil; despreza o mundo inteiro, porém sussurra com fala infantil para uma menina, e vai morrer, podemos duvidar?, em um hospício.

Então Orlando servia chá para todos; e, às vezes, quando o tempo estava bom, os levava para o campo com ela e os recebia regiamente no Salão Redondo, onde estavam pendurados os retratos deles em um círculo, de modo que o sr. Pope não podia dizer que o sr. Addison vinha antes dele, ou o contrário. Eles eram muito inteligentes (mas sua inteligência está toda em seus livros) e ensinaram a ela a coisa mais importante do estilo, que é o fluxo natural da voz na fala, uma qualidade que ninguém que não a ouviu pode imitar, nem mesmo Greene, com toda a sua habilidade; pois nasce do ar, se quebra como uma onda na mobília, rola, desaparece, e nunca é recapturada, muito menos por aqueles que aguçam os ouvidos meio século depois e tentam. Eles ensinaram isso a ela, meramente pela cadência de suas vozes na fala; de forma que o estilo dela mudou bastante, e ela escreveu versos e personagens em prosa muito agradáveis. Então ela foi generosa com seu vinho e colocou notas de dinheiro debaixo de seus pratos no jantar, que eles receberam gentilmente, aceitou suas dedicatórias e considerou-se altamente honrada com a troca.

Assim o tempo passou e muitas vezes ouviram Orlando dizer para si mesma com uma ênfase que pode, talvez, deixar o ouvinte um pouco desconfiado: "Pela minha alma, que vida esta!". (Porque ainda estava em busca dessa matéria-prima.) Porém as circunstâncias logo a forçaram a ponderar o assunto mais de perto.

Um dia, ela estava servindo chá para o sr. Pope, sentado, como qualquer um pode dizer pelos versos citados acima, com os olhos muito brilhantes, observador e todo amassado numa poltrona ao lado dela.

"Meu Deus", pensou ela, enquanto erguia a pinça de açúcar, "como as mulheres de eras futuras vão me invejar! E no entanto...", ela fez uma pausa; porque o sr. Pope precisava de sua atenção. E no entanto... vamos terminar o pensamento por ela: quando alguém diz "Como as eras futuras me invejarão", é seguro afirmar que estão extremamente inquietas com o momento presente. Essa vida era tão excitante, tão lisonjeira, tão gloriosa quanto parece quando o escritor de memórias trabalhou em cima dela?

Por um lado, Orlando tinha um ódio definitivo de chá; por outro, o intelecto, divino como é, e todo-adorador, tem o costume de se alojar nas carcaças mais desfeitas e, muitas vezes, infelizmente, age como canibal entre outras faculdades, de modo que muitas vezes, ali onde a mente é maior, o coração, os sentidos, a magnanimidade, a caridade, a tolerância, a bondade e todo o restante mal têm espaço para respirar. Daí a alta opinião que os poetas têm de si mesmos; daí a baixa opinião que têm dos outros; daí as inimizades, injúrias, invejas e discussões em que estão constantemente envolvidos; daí a volubilidade com que as transmitem; daí a avidez com que exigem simpatia por eles próprios; tudo isso, alguém pode sussurrar, que os sagazes não nos ouçam, faz com que servir o chá seja uma ocupação mais precária e, na verdade, mais árdua do que se admite no geral. Somado a isso (sussurramos de novo para que as mulheres não nos ouçam), existe um pequeno segredo que os homens compartilham entre eles; lorde Chesterfield o sussurrou para seu filho com estrito pedido de sigilo: "As mulheres não passam de crianças grandes... Um homem de bom senso apenas brinca com elas, joga com elas, as anima e lisonjeia", coisa que, como as crianças sempre ouvem o que não devem e, às vezes, até crescem, podem ter vazado de alguma forma, de modo que toda a cerimônia de servir o chá é muito curiosa. Uma mulher sabe muito bem que, embora um homem sagaz lhe mande seus poemas, elogie seu julgamento, solicite suas críticas e beba seu chá, isso de forma alguma significa que ele respeita suas opiniões, admira seu entendimento, ou recusará, uma vez que o florete lhe é negado, atravessar o corpo dela com sua pena. Tudo isso, dizemos, sussurrando o mais baixo possível, pode ter vazado agora; de modo que, mesmo com a jarra de creme suspensa e a pinça de açúcar aberta, as damas podem se inquietar um pouco, olhar um pouco pela janela, bocejar um pouco, e então deixar cair o açúcar com um grande plop, como Orlando fez agora, no chá do sr. Pope. Nunca houve nenhum mortal tão pronto para suspeitar de um insulto ou tão rápido para se vingar dele como o sr. Pope. Ele se virou para Orlando e a presenteou imediatamente com o rascunho de um certo verso famoso de "O caráter das mulheres". Muito brilho foi posteriormente a esse verso atribuído, mas mesmo no original era bem impressionante. Orlando o recebeu com uma reverência. O sr. Pope a deixou com uma curvatura. Para refrescar as faces, pois realmente sentia como se o homenzinho lhe tivesse dado uma bofetada, foi passear no bosque de nogueiras do fundo do jardim. Logo as brisas frescas fizeram seu trabalho. Para seu espanto, percebeu que estava extremamente aliviada por se encontrar sozinha. Assistiu aos alegres barqueiros que remavam rio acima. Sem dúvida, a visão a fez pensar em um ou dois incidentes de sua vida passada. Sentou-se em profunda reflexão debaixo de um belo salgueiro. Ali ficou até haver estrelas no céu. Então levantou-se, virou e entrou na casa, onde foi para seu quarto e trancou a porta. Aí, abriu um armário em que ainda pendurava muitas das roupas que usara quando era um rapaz da moda, e dentre elas escolheu um terno de veludo preto ricamente ornado com renda veneziana. Estava um pouco fora de moda, na verdade, mas serviu perfeitamente e, vestida com ele, parecia a própria figura de um nobre lorde. Virou-se uma ou duas vezes diante do espelho para se certificar de que as anáguas não haviam roubado a liberdade de suas pernas, e então saiu secretamente para o ar livre.

Era uma bela noite no começo de abril. Uma miríade de estrelas se misturava com a luz da foice da lua que, reforçada pelas luzes da rua, gerava uma luz infinitamente adequada ao semblante humano e à arquitetura do sr. Wren. Tudo se revelava com sua forma mais terna, no entanto, quando parecia prestes a se dissolver, uma gota de prata tudo animava. A conversa devia ser assim, pensou Orlando (entregando-se a um tolo devaneio); assim que a sociedade devia ser, que a amizade devia ser, que o amor devia ser. Pois, só Deus sabe por quê, assim que perdemos a fé nas relações humanas, algum arranjo aleatório de celeiros e árvores ou um palheiro e uma carroça nos apresentam um símbolo tão perfeito do que é inatingível que começamos a busca novamente.

Fazia essas observações quando entrou em Leicester Square. Os prédios tinham uma simetria aérea, porém formal, que não havia neles durante o dia. O pálio do céu parecia lavado muito habilmente para preencher o contorno de telhados e chaminés. Uma jovem desanimada com um braço caído ao lado, o outro repousando em seu colo, num banco debaixo de um plátano no meio da praça, parecia a própria figura da graça, simplicidade e desolação. Orlando tirou o chapéu para ela à maneira de um galanteador que apresenta seus respeitos a uma dama da moda em público. A jovem ergueu a cabeça. Era da mais delicada formosura. A jovem ergueu os olhos. Orlando viu que tinham um brilho que às vezes se vê num bule de chá, mas raramente em um rosto humano. Através desse esmalte prateado, a jovem olhou para ele (porque, para ela, era um homem) suplicante, esperançosa, trêmula, temerosa. Ela se levantou; aceitou o braço dele. Pois... precisamos enfatizar o ponto? ...era da tribo que todas as noites lustra seus produtos e os arruma num balcão à espera do lance mais alto. Ela levou Orlando para o quarto na Gerrard Street, que era sua morada. Senti-la pendurada de leve em seu braço, algo como uma suplicante, despertou em Orlando todos os sentimentos que cabem a um homem. Ela parecia, sentia, falava como homem. No entanto, tendo sido tão recentemente ela mesma uma mulher, desconfiou que a timidez da garota, suas respostas hesitantes e a própria dificuldade com a chave na fechadura, a dobra na capa e a curvatura do pulso, tudo era para gratificar a masculinidade de Orlando. Subiram as escadas, e o esforço que a pobre criatura tinha feito para decorar seu quarto e esconder o fato de que não tinha nenhum outro não enganou Orlando nem por um momento. O engano despertou seu desprezo; a verdade despertou sua pena. Uma coisa vista através da outra gerou a mais estranha variedade de sentimentos, de modo que ela não sabia se ria ou chorava. Nesse meio-tempo, Nell, como a garota se chamava, desabotoou as luvas; escondeu cuidadosamente o polegar esquerdo, que precisava remendar; em seguida, foi para trás de um biombo, onde, talvez, maquiou as faces, arrumou a roupa, pôs um lenço novo em volta do pescoço, tagarelando o tempo todo como fazem as mulheres para divertir o amante, embora Orlando pudesse jurar, pelo tom da voz dela, que estava pensando em outra coisa. Quando estava tudo pronto, ela saiu, preparada, mas então Orlando não aguentou mais. No mais estranho tormento de raiva, alegria e pena, despiu o disfarce e admitiu que era uma mulher.

Diante disso, Nell teve um ataque de riso tão ruidoso que deviam ter ouvido do outro lado da rua.

– Bem, minha querida – disse ela, quando se recuperou um pouco –, não me incomoda nem um pouco saber disso. Porque a verdade é que – e era notável como, assim que descobriu que eram do mesmo sexo, sua atitude mudou e ela abandonou o tom queixoso e sedutor–, a verdade é que não estou com nenhuma vontade de contato com o outro sexo esta noite. Na verdade, estou com um problema danado. – Então, acendeu o fogo e, enquanto mexia uma tigela de ponche, contou a Orlando toda a história de sua vida. Uma vez que é a vida de Orlando que nos ocupa no momento, não precisamos relatar as aventuras da outra moça, mas é certo que para Orlando as horas nunca passaram tão depressa e tão alegres, embora a senhorita Nell não tivesse nem uma gota de inteligência, e, quando o nome do sr. Pope apareceu na conversa, ela perguntou, inocente, se ele tinha alguma coisa a ver com o fabricante de perucas desse nome em Jermyn Street. No entanto, para Orlando, tal era o encanto da serenidade e a sedução da beleza, que a conversa com essa pobre moça, embora manchada com as mais comuns expressões das ruas, tinha gosto de vinho depois das belas frases a que estava acostumada, e ela foi forçada a concluir que havia algo no escárnio do sr. Pope, na condescendência do sr. Addison, e no segredo de lorde Chesterfield que roubava o seu gosto pela sociedade dos sagazes, por mais profundamente que continuasse a respeitar suas obras.

Essas pobres criaturas, descobriu ela, pois Nell trouxe Prue, e Prue, Kitty, e Kitty, Rose, que tinham uma sociedade própria da qual a elegeram como membro. Cada uma contou a história das aventuras que a colocaram em seu modo de vida atual. Várias eram filhas naturais de condes e uma estava bem mais perto da pessoa do rei do que deveria estar. Nenhuma era tão miserável ou muito pobre, a ponto de não ter algum anel ou lenço no bolso que lhe servisse no lugar de pedigree. Então, elas se reuniram em volta da tigela de ponche, Orlando assumiu a tarefa de renovar generosamente as doses, e muitas foram as histórias que contaram e muitas as observações divertidas que fizeram, pois não se pode negar que, quando as mulheres se reúnem (mas psiu!), elas sempre têm o cuidado de verificar que as portas estejam fechadas e que nenhuma palavra seja publicada. Tudo o que elas querem é... (mas psiu! outra vez, não é o passo de um homem na escada?) Tudo o que elas querem, estávamos prestes a dizer quando o cavalheiro tirou as palavras de nossas bocas. As mulheres não têm desejos, diz esse senhor que entra na sala de Nell; apenas afetações. Sem desejos (ela o serviu e ele se foi), a conversa delas não pode ser do menor interesse para ninguém. – É bem sabido – diz o sr. S. W. – que, quando lhes falta o estímulo do outro sexo, as mulheres não encontram nada para dizer entre elas. Quando estão sozinhas, não falam, se arranham. – E, uma vez que não podem conversar e não dá para se arranhar sem interrupção, e é bem sabido (o sr. T. R. provou isso) que as mulheres são incapazes de qualquer sentimento de afeto por seu próprio sexo e têm a maior aversão umas pelas outras, o que podemos supor que as mulheres fazem quando procuram a companhia umas das outras?

Como essa não é uma questão que possa prender a atenção de um homem sensato, vamos nós, que gozamos da imunidade de todos os biógrafos e historiadores de qualquer sexo, deixar passar e dizer apenas que Orlando professou grande prazer na sociedade de seu próprio sexo, e deixou para os cavalheiros provarem, como tanto gostam de fazer, que isso é impossível.

Mas fornecer um relato exato e particular da vida de Orlando nessa época fica mais e mais fora de questão. Ao examinar e tatear os pátios mal iluminados, mal pavimentados e mal ventilados que ficavam nos arredores de Gerrard Street e Drury Lane naquela época, parece que a avistamos e em seguida a perdemos de novo. A tarefa torna-se ainda mais difícil pelo fato de que ela achou conveniente, nesse momento, mudar frequentemente de um tipo de roupa para outro. Assim, ela aparece com frequência em memórias contemporâneas como "lorde" Fulano de Tal, que na verdade era seu primo; sua generosidade é atribuída a ele, e dizem que foi ele que escreveu os poemas que na realidade eram dela. Ao que parece, ela não teve dificuldade para sustentar os diferentes papéis, pois seu sexo mudou com muito mais frequência do que podem conceber aqueles que usavam apenas um tipo de roupa; nem pode haver qualquer dúvida de que era dupla a sua colheita com esse artifício; aumentava os prazeres da vida e multiplicava as experiências. Trocava a probidade das calças pela sedução das anáguas e gozava do amor de ambos os sexos igualmente.

Pode-se, então, vê-la passar a manhã entre seus livros com um roupão chinês de gênero ambíguo; em seguida, com a mesma roupa, receber um ou dois protegidos (porque tinha muitas dezenas de dependentes); então, ia dar uma volta no jardim para podar as nogueiras e para isso as calças eram mais convenientes; então ela trocava por um tafetá florido mais adequado para ir de carruagem a Richmond e a uma proposta de casamento de algum grande nobre; depois, de volta à cidade, onde vestiria um casaco cor de tabaco como de advogado, para visitar os tribunais e saber ouvir como andavam os seus casos, porque sua fortuna se consumia hora após hora e os processos pareciam não estar mais perto da conclusão do que cem anos antes; e então, finalmente, quando a noite chegava, ela muitas vezes se transformava em um nobre completo da cabeça aos pés e saía pelas ruas em busca de aventura.

Ao voltar de alguma dessas escapadas, sobre as quais correram muitas histórias na época, como, por exemplo, que se bateu em duelo, que serviu como capitão em um dos navios do rei, que foi visto dançando nu em uma varanda e que fugiu com certa dama para os Países Baixos onde o marido dela os perseguiu, mas sobre a verdade ou não dessas histórias, não expressamos opinião, ao voltar de qualquer dessas ocupações, ela às vezes fazia questão de passar diante das janelas de um café, onde podia ver os intelectuais sem ser vista, e assim fantasiar, sem ouvir nem uma palavra, a partir de seus gestos, as coisas sábias, espirituosas ou rancorosas que estariam dizendo; o que talvez fosse uma vantagem; e, uma vez, ficou meia hora observando três sombras na persiana a beber chá juntos numa casa em Bolt Court.

Nunca um espetáculo fora tão absorvente. Ela queria gritar, Bravo! Bravo! Com toda certeza, que belo drama era, que página arrancada do maior volume da vida humana! Lá estava a pequena sombra com os lábios franzidos, mexendo-se de um lado para o outro na cadeira, inquieto, petulante, servil; lá estava a sombra feminina curvada, com um dedo dobrado dentro da xícara para ver até onde ia o chá, pois ela era cega; lá estava a sombra de aparência romana agitada na poltrona, ele que torcia os dedos de um jeito tão estranho e sacudia a cabeça de um lado para o outro e engolia o chá em goles tão grandes. O dr. Johnson, o sr. Boswell e a sra. Williams, esses eram os nomes das sombras. Tão absorta estava ela no que via, que se esqueceu de pensar como outras épocas a invejariam, embora pareça provável que a invejariam nessa ocasião. Ela se contentava com olhar e olhar. Por fim, o sr. Boswell se levantou. Despediu-se da mulher velha com ácida aspereza. Mas com que humildade se rebaixou diante da grande sombra romana, que agora se erguia em toda a sua estatura, balançando um pouco ao desenrolar ali as frases mais magníficas que já saíram dos lábios humanos; assim pensou Orlando, embora não tivesse ouvido nem uma palavra do que qualquer das três sombras falara, ali sentadas, tomando chá.

Uma noite, enfim, ela voltou depois de uma dessas escapadas e subiu para seu quarto. Tirou o casaco com rendas e lá ficou de camisa e calça a olhar pela janela. Havia algo agitado no ar que a proibia de ir para a cama. Uma névoa branca pairava sobre a cidade, pois era uma noite gelada no meio do inverno e uma vista magnífica se espalhava em torno dela. Dava para ver St. Paul, a Torre, a Abadia de Westminster, com todas as torres e cúpulas das igrejas da cidade, a massa lisa das margens do rio, as curvas opulentas e amplas de seus salões e pontos de encontro. Ao norte, erguiam-se as elevações suaves e podadas de Hampstead, e a oeste as ruas e praças de Mayfair brilhavam claras. Do alto, as estrelas, cintilantes, definidas, duras, olhavam, de um céu sem nuvens, para essa paisagem serena e ordenada. Na extrema clareza da atmosfera, percebia-se o contorno de cada telhado, a cobertura de cada chaminé; até mesmo as pedras das ruas mostravam-se diferentes umas da outras, e Orlando não pôde deixar de comparar essa cena ordenada com os bairros irregulares e amontoados que haviam sido a cidade de Londres no reinado da rainha

Elizabeth. Na época, ela se lembrou, a cidade, se assim pudesse ser chamada, era abarrotada, um mero amontoado e conglomerado de casas, debaixo de suas janelas em Blackfriars. As estrelas se refletiam em poças profundas de água estagnada no meio das ruas. Uma sombra negra na esquina onde ficava a loja de vinhos era, muito provavelmente, o cadáver de um homem assassinado. Ela se lembrava dos gritos de muitos, feridos em tais brigas noturnas, quando era um garotinho, nos braços da babá diante da janela em forma de losango. Tropas de rufiões, homens e mulheres, indizivelmente entrelaçadas, cambaleavam pelas ruas, berrando canções malucas com joias reluzindo nas orelhas e facas brilhando nos punhos. Em uma dessas noites, o emaranhado impermeável das florestas em Highgate e Hampstead se desenhava contra o céu, contorcendo-se em intrincada complexidade. Aqui e ali, em uma das colinas que se erguia acima de Londres, havia uma dura árvore de execuções, com um cadáver pregado a apodrecer ou secar em sua cruz; perigo e insegurança, luxúria e violência, poesia e sujeira enchiam as tortuosas vias elisabetanas que zumbiam, fediam: Orlando ainda se lembrava do cheiro delas em uma noite quente, nos quartos pequenos, nos estreitos caminhos da cidade. Agora, ela se inclinou para fora da janela, tudo era luz, ordem e serenidade. Ouviu o leve ruído de uma carruagem nas pedras. Ouviu o grito distante do vigia noturno: "Meia-noite de uma madrugada gelada". As palavras tinham acabado de deixar os seus lábios quando soou o primeiro toque da meia-noite. Orlando então, pela primeira vez, notou uma pequena nuvem atrás da cúpula de St. Paul. Enquanto soavam as badaladas, a nuvem aumentou, e ela viu que escurecia e se espalhava com extraordinária velocidade. Ao mesmo tempo, soprou uma leve brisa e, quando soou a sexta badalada da meia-noite, todo o céu oriental estava coberto por uma escuridão de movimento irregular, embora o céu a oeste e norte continuasse muito claro. Então a nuvem se espalhou para o norte. Engolfou todo o alto da cidade. Apenas Mayfair, com todas as luzes brilhando, queimava mais clara do que nunca, em contraste. Com a oitava badalada, alguns farrapos apressados de nuvens se espalharam sobre Piccadilly. Eles pareciam se compactar e avançar com extraordinária rapidez para o West End. Quando a nona, a décima e a décima primeira badalada soaram, uma enorme escuridão havia se espalhado por toda Londres. Com a décima segunda badalada da meia-noite, a escuridão era completa. Uma turbulenta confusão de nuvens cobriu a cidade. Tudo era escuridão; tudo era dúvida; tudo era caos. O século XVIII acabava; o século XIX havia começado.

5

A grande nuvem que pairava, não apenas sobre Londres, mas sobre a totalidade das Ilhas Britânicas no primeiro dia do século XIX ficou, ou melhor, não ficou, porque era constantemente sacudida por estrondosos vendavais, tão longos a ponto de ter consequências extraordinárias sobre aqueles que viviam à sua sombra. Uma mudança parecia ter ocorrido no clima da Inglaterra. Chovia com frequência, mas apenas em rajadas intermitentes, que logo que terminavam começavam de novo. O sol brilhava, claro, mas estava tão cercado de nuvens e o ar, tão saturado de água, que seus raios eram descoloridos, e tons de roxo, laranja e vermelho de aspecto opaco tomaram o lugar das paisagens mais positivas do século XVIII. Debaixo desse dossel machucado e taciturno, o verde dos repolhos era menos intenso, o branco da neve ficava turvo. Mas o pior era que a umidade começou a entrar em todas as casas, e umidade é o mais insidioso de todos os inimigos, porque o sol pode-se tapar com cortinas, a geada pode ser derretida, com o calor do fogo, porém a umidade invade enquanto dormimos; a umidade é silenciosa, imperceptível, onipresente. A umidade incha a madeira, enche de crostas a chaleira, enferruja o ferro, apodrece a pedra. Tão gradual é o processo, que nem suspeitamos que a doença está em ação até pegarmos uma cômoda ou um balde de carvão e a coisa toda se desmanchar em nossas mãos.

Assim, furtivamente, imperceptivelmente, sem ninguém marcar o dia ou a hora exatos da mudança, o clima da Inglaterra se alterou sem que ninguém soubesse como. O efeitos se fizeram sentir por toda parte. O forte cavalheiro rural, que se sentava alegremente para uma refeição de cerveja e carne em uma sala projetada, talvez, pelos irmãos Adam, com dignidade clássica, agora sentia frio. Apareceram tapetes; barbas cresceram; as calças presas com força sob o arco do pé. O frio que o cavalheiro do campo sentia nas pernas, ele logo transferiu para sua casa; a mobília foi abafada; paredes e mesas cobertas; nada ficava vazio. Então, uma mudança na dieta se tornou essencial. Inventaram o muffin e o crumpet. O café suplantou o porto após o jantar; e já que o café levava a uma sala de estar para bebê-lo; e uma sala de estar, a claraboias de vidro; e claraboias de vidro, a flores artificiais; e flores artificiais, a aparadores de lareira; e aparadores de lareira, a pianos; e pianos, a baladas de salão; e baladas de salão (pulando-se um ou dois estágios), a inúmeros cachorrinhos, tapetes e enfeites de porcelana, a casa, que se tornara extremamente importante, foi completamente alterada.

Fora da casa, outro efeito da umidade, a hera crescia em incomparável profusão. Casas que eram de pedra nua foram sufocadas pela vegetação. Nenhum jardim, por mais formal que fosse seu projeto original, carecia de um arbusto, de uma mata, de um labirinto. A pouca luz que penetrava nos quartos onde nasciam as crianças era naturalmente de um verde ofuscante, e a luz que penetrava nas salas onde viviam homens e mulheres adultos vinha através de cortinas de veludo marrom e púrpura. Mas a mudança não parou nas coisas exteriores. A umidade atingiu o interior. Os homens sentiam o frio no coração; a umidade, na mente. Em um esforço desesperado para aconchegar seus sentimentos em algum tipo de calor, tentaram um subterfúgio atrás do outro. Amor, nascimento e morte foram todos enfaixados em uma variedade de frases bonitas. Os sexos se distanciaram cada vez mais. Nenhuma conversa aberta era tolerada. Evasivas e dissimulação eram praticadas efusivamente de ambos os lados. E, assim como a hera e a sempre-viva cresciam em profusão na terra úmida fora, a mesma fertilidade se mostrava dentro. A vida da mulher média era uma sucessão de partos. Ela se casava aos dezenove anos, e já tinha quinze ou dezoito filhos aos trinta; porque gêmeos eram frequentes. Assim, o Império Britânico passou a existir; e assim, pois não há o que detenha a umidade, ela entra no tinteiro igual na madeira, as frases incharam, os adjetivos se multiplicaram, letras de música tornaram-se épicas, e pequenas ninharias que tinham sido artigos de uma coluna viraram enciclopédias em dez ou vinte volumes. Mas Eusebius Chubb será nossa testemunha do efeito que tudo isso teve sobre a mente de um homem sensível que nada pôde fazer para impedi-lo. Há uma passagem quase no fim de suas memórias em que ele descreve como, depois de ter escrito trinta e cinco páginas fólio certa manhã, "tudo sobre nada", rosqueou a tampa do tinteiro e foi dar uma volta no jardim. Logo se viu envolvido pelos arbustos. Inúmeras folhas rangeram e brilharam acima de sua cabeça. Parecia-lhe "esmagar mais um milhão de outras sob os pés". Uma espessa fumaça exalava de uma fogueira úmida no final do jardim. Ele refletiu que nenhum fogo na terra poderia ter a esperança de consumir aquele vasto estorvo vegetal. Para onde quer que olhasse, a vegetação era abundante. Pepinos "rolavam na grama até seus pés". Couves-flores gigantes se elevavam a níveis sobre níveis até rivalizar, em sua imaginação desordenada, com os próprios olmos. Galinhas botavam incessantemente ovos sem nenhuma cor especial. Então, lembrando com um suspiro de sua própria fecundidade e de sua pobre esposa Jane, agora nas garras de seu décimo quinto resguardo dentro de casa, perguntou a si mesmo como poderia culpar as aves. Ele olhou o céu. Pois não era o próprio céu, ou aquele grande frontispício do céu que é a abóbada celeste, que indica o consentimento, na verdade, a instigação da hierarquia celestial? Porque lá, inverno ou verão, ano após ano, as nuvens viravam e caíam, como baleias, ele ponderou, ou melhor, como elefantes; mas não, não havia como escapar da comparação imposta a ele por mil acres de ar; o próprio céu que se estendia acima das Ilhas Britânicas não era nada mais que uma vasta cama de penas; e a fecundidade indistinta do jardim, do quarto e do galinheiro uma cópia dela. Ele entrou, escreveu a passagem citada acima e colocou a cabeça dentro de um forno a gás. Quando o encontraram mais tarde, não conseguiram trazê-lo de volta à vida.

Enquanto isso acontecia por toda a Inglaterra, Orlando estava muito bem, enclausurada em sua casa em Blackfriars, fingindo que o clima continuava o mesmo; que ainda se podia dizer o que quisesse e usar calça até o joelho ou saia conforme o capricho da pessoa. Mesmo ela, afinal, foi forçada a admitir que os tempos tinham mudado. Uma tarde, no começo do século, ela estava passando pelo St. James Park, em sua velha carruagem acolchoada, quando um daqueles raios de sol que ocasionalmente, embora não sempre, chegam à terra conseguiu atravessar, marmorizando as nuvens com estranhas cores prismáticas ao passar. Essa visão foi suficientemente estranha, depois dos céus claros e uniformes do século XVIII, para fazê-la baixar a cortina e olhar. As nuvens castanhas e rosadas a fizeram pensar, com uma angústia prazerosa que mostra até que ponto ela já estava imperceptivelmente tocada pela umidade, em golfinhos que morriam no mar Jônico. Mas qual não foi sua surpresa quando, ao tocar a terra, o raio de sol pareceu produzir, ou iluminar, uma pirâmide, uma hecatombe ou um troféu (porque havia naquilo algo de uma mesa de banquete), de qualquer forma, os mais heterogêneos e descombinados objetos, empilhados de qualquer jeito em um vasto montículo onde fica hoje a estátua da rainha Vitória! Envolvendo uma vasta cruz de ouro ornada com desenhos florais havia trajes de viúva e véus de noiva; enganchados em outras excrescências havia palácios de cristal, berços, capacetes militares, coroas de flores, calças, bigodes, bolos de casamento, canhão, árvores de Natal, telescópios, monstros extintos, globos, mapas, elefantes e instrumentos matemáticos, o todo sustentado como um gigantesco escudo de armas do lado direito por uma figura feminina vestida de branco esvoaçante; do lado esquerdo por um cavalheiro corpulento, de sobrecasaca e calça listrada. A incongruência dos objetos, a associação de um totalmente vestido e outro parcialmente coberto, as diferentes cores berrantes e a justaposição delas numa espécie de xadrez afligiram Orlando com o mais profundo desalento. Em toda a sua vida, ela nunca tinha visto nada tão indecente, tão horrendo e tão monumental. Podia ser, de fato, devia ser, efeito do sol no ar alagado; desapareceria com a primeira brisa que soprasse; mas, apesar de tudo, parecia, enquanto ela passava, destinado a durar para sempre. Nada, ela sentiu, afundando de volta no canto da carruagem, nenhum vento, chuva, sol ou trovão, poderia jamais demolir aquela espalhafatosa construção. Narizes ficariam manchados, trombetas enferrujariam; mas aquilo permaneceria lá, apontando para leste, oeste, sul e norte, eternamente. Ela olhou para trás enquanto sua carruagem percorria a Constitution Hill. Sim, lá estava ela, ainda brilhando placidamente em uma luz que, ela puxou o relógio do bolso, era, claro, a luz do meio-dia. Nenhuma outra seria tão prosaica, tão direta, tão impermeável a qualquer indício de amanhecer ou pôr do sol, tão aparentemente calculada para durar para sempre. Ela estava decidida a não olhar de novo. Já sentia as ondas de seu sangue correrem devagar. Mas o mais peculiar foi que um rubor vívido e singular espalhou-se por suas faces quando passou diante do palácio de Buckingham e seus olhos, como que forçados por um poder superior, baixaram para seus joelhos. De repente, viu que estava de calça preta até os joelhos. Continuou ruborizada até chegar a sua casa de campo, o que, considerando o tempo que levam quatro cavalos para trotar 45 quilômetros, será tomado, esperamos, como prova de sua castidade.

Uma vez lá, ela seguiu o que agora se tornara a necessidade mais imperiosa de sua natureza e se envolveu o melhor que pôde em uma colcha de damasco que pegou da cama. E explicou à viúva Bartholomew (que sucedera a boa e velha Grimsditch como governanta) que estava com frio.

– Nós todos estamos, milady – disse a viúva, com um suspiro profundo. – As paredes estão suando – disse ela, com uma complacência curiosa, lúgubre, e, com certeza, bastava colocar a mão nos painéis de carvalho que as impressões digitais ficavam ali marcadas. A hera tinha crescido tão profusamente que selara muitas janelas. A cozinha estava tão escura que mal se distinguia uma chaleira de um escorredor. Confundiram um pobre gato preto com carvão e o jogaram no fogo. A maioria das empregadas já estava usando três ou quatro anáguas de flanela vermelha, embora ainda fosse agosto.

– Mas é verdade, milady – a boa mulher perguntou, abraçando o próprio corpo, enquanto o crucifixo de ouro se erguia em seu peito –, que a rainha, bendita seja, está usando uma, como se chama mesmo?, uma... – a boa mulher hesitou e corou.

– Uma crinolina – Orlando a ajudou (pois a palavra havia chegado a Blackfriars). A sra. Bartholomew assentiu. As lágrimas já corriam por suas bochechas, mas, enquanto chorava, sorria. Porque era agradável chorar. Pois não eram todas elas fracas mulheres? Usando crinolinas para melhor esconder esse fato, o grande fato, o único fato, mas, no entanto, o deplorável fato; que toda mulher modesta fazia de tudo para negar até a negação ser impossível; o fato de que ela estava prestes a ter um filho? Ter quinze ou vinte filhos, de fato, de modo que a maior parte da vida das mulheres decentes consistia, afinal, em negar o que, em pelo menos um dia de cada ano, se tornava óbvio.

– Os muffins estão quentinhos – disse a sra. Bartholomew, enxugando as lágrimas –, na biblioteca.

E, enrolada numa colcha de damasco, Orlando sentou-se diante de um prato de muffins.

"Os muffins estão quentinhos na biblioteca", Orlando remoeu a horrível frase cockney com o sotaque cockney refinado da sra. Bartholomew enquanto bebia... mas não, ela detestava aquele líquido suave, seu chá. Foi nesta mesma sala, ela lembrou, que a rainha Elizabeth, parada diante da lareira com uma jarra de cerveja na mão, que ela de repente baixou em cima da mesa quando lorde Burghley, sem nenhum tato, usou o imperativo em vez do subjuntivo. – Homenzinho, homenzinho – Orlando ainda a ouvia dizer –, "deve" não é uma palavra que se dirija a príncipes? – E bateu a jarra em cima da mesa: a marca ainda estava ali.

Mas, quando Orlando se pôs de pé num salto, conforme a simples ideia da grande rainha ordenava, tropeçou na colcha, caiu para trás na poltrona e praguejou. Amanhã teria de comprar vinte metros ou mais de bombazina preta, talvez, para fazer uma saia. E então (aqui ela ruborizou), teria de comprar uma crinolina, e depois (aqui ela ruborizou) um berço, e depois outra crinolina, e assim por diante... rubores iam e vinham com a mais requintada repetição imaginável de modéstia e vergonha. Pode-se ver o espírito da era soprando, ora quente, ora frio, em suas faces. E se o espírito da época soprava um pouco irregular, ruborizando mais pela crinolina que pelo marido, sua posição ambígua deve desculpar a ela (até mesmo seu sexo ainda estava em disputa) e à vida irregular que ela vivera antes.

Por fim, a cor em seu rosto se estabilizou e parecia que o espírito da época (se de fato fosse isso) permaneceu adormecido por um tempo. Então, Orlando sentiu no peito da camisa como se fosse um medalhão ou relíquia afetiva perdida, mas o que encontrou ali não foi tal coisa, mas sim um rolo de papel, manchado pelo mar, manchado de sangue, manchado de viagem, o manuscrito de seu poema, *O carvalho*. Ela o carregara durante tantos anos, em circunstâncias tão perigosas, que muitas páginas estavam manchadas, algumas rasgadas, e as dificuldades que teve para conseguir papel quando esteve com os ciganos forçou-a a ultrapassar as margens e cruzar as linhas até que o manuscrito ficou parecendo um cerzido, executado conscienciosamente. Ela voltou à primeira página e leu a data, 1586, escrita com sua própria caligrafia infantil. Estava trabalhando nele havia quase trezentos anos. Era hora de acabar. Começou a folhear, mergulhar, ler, pular e pensar, enquanto lia, como havia mudado pouco em todos esses anos. Tinha sido um rapaz sombrio, apaixonado pela morte, como são os rapazes; e depois amoroso e vital; e alegre e satírico; e às vezes tentara a prosa, às vezes tentara a dramaturgia. No entanto, durante todas essas mudanças, ela permaneceu, refletiu, fundamentalmente a mesma. Tinha o mesmo temperamento meditativo e taciturno, o mesmo amor pelos animais e pela natureza, a mesma paixão pelo campo e pelas estações.

"Afinal", pensou ela, levantando-se e indo até a janela, "nada mudou. A casa, o jardim são exatamente como eram. Nenhuma cadeira mudou de lugar, nenhuma bugiganga foi vendida. Existem os mesmos passeios, os mesmos gramados, as mesmas árvores e o mesmo tanque, ouso dizer, com as mesmas carpas. É verdade que a rainha Vitória está no trono, e não a rainha Elizabeth, mas que diferença..."

Mal o pensamento tomou forma, e, como se para repreendê-la, a porta se escancarou e Basket, o mordomo, seguido por Bartholomew, a governanta, entrou marchando para tirar o chá. Orlando, que acabara de molhar a pena na tinta e estava prestes a fazer uma reflexão sobre a eternidade de todas as coisas, ficou muito incomodada por ter sido impedida por um borrão que se espalhou e serpenteava ao redor da pena. Era algum defeito da pena, pensou ela; estava lascada ou suja. Molhou de novo. O borrão aumentou. Ela tentou continuar com o que estava dizendo; não veio nem uma palavra. Em seguida, ela começou a decorar o borrão com asas e bigodes, até que se tornou um monstro de cabeça redonda, algo entre um morcego e um vombate. Mas, quanto a escrever poesia, com Basket e Bartholomew na sala, era impossível. Assim que ela disse "Impossível", para seu espanto e alarme, a caneta começou a rodar e caracolar com a mais suave fluência possível. A página escrita na caligrafia inclinada do itálico, com os versos mais insípidos que ela já tinha lido na vida:

*Eu não sou mais que um mero elo,
na dura corrente desta vida,
mas pronunciei palavras sagradas,
ah, não diga que foram perdidas!*

*Quando as lágrimas da donzela
brilham à luz do luar,
lágrimas pelo ausente amado,
ela murmura...*

escreveu sem parar, enquanto Barthomew e Basket gemiam e bufavam pela sala, ajeitavam a lareira, pegavam os muffins. Mais uma vez, ela molhou a pena e prosseguiu:

*Estava tão diferente, a suave nuvem encarnada
que um dia cobrira sua face como aquela
com que a noite cobre o céu de brilho rosado,
em palidez se apagara, quebrada
por rubores ardentes, tochas da tumba,*

mas aí, com um movimento abrupto, ela derramou a tinta sobre a página e apagou para olhos humanos, esperava ela, para sempre. Estava toda agitada, toda confusa. Não se podia imaginar nada mais repulsivo do que sentir a tinta fluir assim em cascatas de inspiração involuntária. O que tinha acontecido com ela? Era a umidade, era Bartolomeu, era Basket, o que era aquilo?, ela se perguntou. Mas a sala estava vazia. Ninguém respondeu, a menos que o gotejar da chuva na hera pudesse ser tomado por resposta.

Nesse meio-tempo, parada à janela, ela tomou consciência de um formigamento e uma vibração extraordinária por todo o corpo, como se fosse feita de mil cordas, nas quais alguma brisa ou dedos errantes tocavam escalas. Ora os dedos dos pés formigavam; ora a medula. Tinha a mais estranha sensação nos ossos da coxa. Seus pelos pareciam se eriçar. Os braços cantavam e vibravam como fios do telégrafo cantariam e vibrariam dentro de cerca de vinte anos.

Mas toda essa agitação pareceu se concentrar, por fim, em suas mãos; ora numa mão, depois em um dedo dessa mão, até acabar por se contrair de forma a fazer um anel de trêmula sensibilidade sobre o segundo dedo da mão esquerda. E, quando levantou o dedo para ver o que causava essa agitação, ela viu nada, nada além da vasta esmeralda solitária que a rainha Elizabeth tinha lhe dado. E isso não bastava?, perguntou ela. Era da melhor água. Valia pelo menos dez mil libras. Da maneira mais estranha (mas lembre-se de que estamos lidando com algumas das mais obscuras manifestações da alma humana), a vibração parecia dizer: Não, não basta; e, além disso, assumir uma nota de interrogatório, como se perguntasse o que significava aquele hiato, aquela estranha omissão?, até a pobre Orlando sentir-se positivamente envergonhada do segundo dedo da mão esquerda, sem ter a mínima ideia do porquê.

Nesse momento, Bartholomew veio perguntar qual vestido deveria preparar para o jantar, e Orlando, cujos sentidos estavam muito acelerados, instantaneamente olhou para a mão esquerda de Bartholomew, e no mesmo instante percebeu o que nunca havia notado antes: uma grossa aliança de um amarelo bilioso em torno do terceiro dedo, onde o dela estava nu.

– Deixe ver sua aliança, Bartholomew – disse ela, e estendeu a mão para pegá-la.

Diante disso, Bartholomew reagiu como se fosse atingida no peito por um bandido. Recuou um ou dois passos, fechou a mão e afastou-a dela com um gesto de extrema nobreza.

– Não – disse, com resoluta dignidade, sua senhoria podia olhar se quisesse, mas, quanto a tirar sua aliança de casamento, nem o arcebispo, nem o papa, nem a rainha Vitória em seu trono poderiam forçá-la a fazer isso. Seu Thomas a tinha colocado em seu dedo vinte e cinco anos, seis meses e três semanas atrás; ela dormia com ela; trabalhava com ela; lavava com ela; rezava com ela; e pretendia ser enterrada com ela. Na verdade, Orlando entendeu o que ela disse, mas com a voz muito embargada de emoção; que por seu brilho lhe seria atribuída a sua posição entre os anjos e que seu brilho ficaria manchado para sempre se ela a deixasse longe de sua guarda por um segundo.

– Deus nos ajude – disse Orlando, parada à janela, observando os pombos em suas brincadeiras –, em que mundo vivemos! Que mundo, de fato! – Suas complexidades a surpreendiam. Agora lhe parecia que o mundo todo estava rodeado de ouro. Ela entrou para jantar. Alianças de casamento em abundância. Ela foi à igreja. Alianças por toda parte. Saiu na carruagem. Ouro, ou imitação, fino, grosso, simples, liso, brilhava tenuemente em cada mão. Alianças enchiam as joalherias, não as pedras falsas e os diamantes da lembrança de Orlando, mas faixas simples sem pedra. Ao mesmo tempo, ela começou a perceber um novo hábito entre as pessoas da cidade. Nos velhos tempos, se encontrava com bastante frequência um rapaz brincando com uma moça debaixo de uma cerca viva. Orlando tinha cutucado muitos casais com a ponta do chicote, dado risada e passado. Agora, estava tudo mudado. Casais marchavam, caminhavam pelo meio da rua, indissoluvelmente ligados. A mão direita da mulher invariavelmente na mão esquerda do homem, os dedos agarrados com firmeza pelos dedos dele. Muitas vezes, só se deslocavam quando os focinhos dos cavalos estavam diante deles, e então, embora se deslocassem, era num bloco só, pesadamente, para o lado da rua.

Orlando só podia imaginar que tinha havido alguma nova descoberta sobre a espécie; que eles estavam, de alguma forma, colados, casal após casal, mas quem o fizera e quando, ela não conseguia adivinhar. Não parecia coisa natural. Ela olhava as pombas, os coelhos, os elkhounds e não conseguia achar que a Natureza tinha mudado seus modos ou os consertado, pelo menos desde a época de Elizabeth. Não havia aliança indissolúvel visível entre os animais que via. Poderia ser a rainha Victoria, então, ou lorde Melbourne? Era deles que procedia a grande descoberta do casamento? No entanto, ela ponderou, diziam que a rainha gostava de cachorros, e lorde Melbourne, ela ouvira dizer, gostava de mulheres. Era estranho, era de mau gosto; na verdade, havia algo naquela indissolubilidade de corpos que era repugnante para o seu senso de decência e sanidade. Suas ruminações, porém, foram acompanhadas por tal formigamento e pontadas no dedo afetado que ela mal conseguia manter as ideias em ordem. Estavam lânguidas e cobiçosas como as fantasias de uma criada. Elas a fizeram corar. Não havia nada a fazer, senão comprar um daqueles aros feios e usá-lo como os outros. Isso ela fez, e, tomada pela vergonha, deslizou em seu dedo, na sombra de um cortina; mas sem sucesso. O formigamento persistiu mais violento, mais indignado do que nunca. Ela não pregou o olho naquela noite. Na manhã seguinte, quando pegou a pena para escrever, ou não conseguia pensar em nada e a caneta fazia uma grande mancha lacrimosa após a outra, ou desaparecia devagar, ainda mais alarmante, em fluências melífluas sobre a morte precoce e a corrupção, que era pior do que não pensar em nada. Porque parecia, como seu caso comprovava, que escrevemos não com os dedos, mas com a pessoa inteira. O nervo que controla a pena envolve cada fibra do nosso ser, penetra no coração, perfura o fígado. Embora o foco de seu problema parecesse ser a mão esquerda, sentia a si mesma envenenada por completo, e, por fim, forçada a considerar o mais desesperado dos remédios, que era ceder por completo e submissamente ao espírito da época, e arranjar um marido.

Já foi suficientemente esclarecido que isso ia muito contra seu temperamento natural. Quando o som das rodas da carruagem do arquiduque morreu ao longe, o grito que lhe subiu aos lábios foi "Vida! Um amante!", e não "Vida! Um marido!", e a busca desse objetivo é que a levou à cidade e a correr o mundo, como foi mostrado no capítulo anterior. Tal é a natureza indomável do espírito da época, no entanto, que derruba quem quer que tente se opor a ele com muito mais eficácia do que aqueles que abrem seu próprio caminho. Orlando inclinava-se naturalmente para o espírito elisabetano, para o espírito da Restauração, para o espírito do século XVIII e, consequentemente, mal tinha conhecimento da mudança de uma idade para a outra. Mas o espírito do século XIX era-lhe antipático ao extremo, e assim a pegou e dobrou, e mais do que nunca ela tinha consciência da derrota em suas mãos. Porque é provável que o espírito humano tenha seu lugar no tempo a ele determinado; alguns nascem nesta idade, alguns naquela; e, agora que Orlando era uma mulher adulta, um ou dois anos depois dos trinta, na verdade, as falas de sua personagem eram corrigidas, e dobrá-las para o lado errado era intolerável.

Então ela parou, triste, à janela da sala de estar (assim Bartholomew havia batizado a biblioteca), oprimida pelo peso da crinolina que ela adotara, submissa. Era mais pesada e mais sem graça do que qualquer vestido que já tinha usado. Nenhum jamais impedira seus movimentos. Não podia mais andar pelo jardim com seus cachorros, nem correr com leveza para o alto do morro e se jogar debaixo do carvalho. As saias atraíam umidade, folhas e palha. O chapéu emplumado balançava com a brisa. Os sapatos finos logo ficavam encharcados e cobertos de lama. Seus músculos tinham perdido a flexibilidade. Ela estava nervosa, temendo que houvesse ladrões por trás dos lambris e, pela primeira vez na vida, com medo de fantasmas nos corredores. Todas essas coisas a foram levando, passo a passo, a se submeter à nova descoberta, fosse da rainha Vitória ou de outrem, de que cada homem e cada mulher é atribuído um ao outro por toda a vida, a quem apoia, por quem é apoiado, até que a morte os separe. Seria um conforto, ela sentia, repousar; sentar-se; sim, deitar-se; nunca, nunca, nunca mais se levantar. Assim o espírito agia sobre ela, apesar de todo o seu orgulho passado, e ao baixar a escala de emoção para essa humilde e desusada acomodação, aqueles sons macios e tilintantes que tinham sido tão capciosos, tão interrogativos, modularam-se nas mais doces melodias, até parecer que anjos tocavam cordas de harpa com dedos brancos e todo o seu ser era permeado por uma harmonia seráfica.

Mas em quem poderia se apoiar? Ela fez a pergunta aos loucos ventos do outono. Pois agora era outubro, úmido como sempre. Não no arquiduque; ele havia se casado com uma grande dama e caçava lebres na Romênia esses anos todos; nem no sr. M., que se converteu ao catolicismo; nem no marquês de C., que fabricava sacos em Botany Bay; nem no sr. O., que há muito tinha virado comida para peixes. De uma forma ou de outra, todos os seus velhos camaradas tinham ido embora, e as Nells e Kits de Drury Lane, embora ela as favorecesse, dificilmente serviriam de apoio.

– Mas em quem – perguntou ela, lançando os olhos para as nuvens que giravam, as mãos crispadas, ajoelhada no parapeito da janela, a própria imagem da feminilidade atraente – posso me apoiar? – As palavras tomaram forma, as mãos se juntaram involuntariamente, assim como a pena havia escrito por conta própria. Não foi Orlando quem falou, mas o espírito da época. Mas, fosse quem fosse, ninguém respondeu. As gralhas voavam desordenadamente entre as nuvens violetas do outono. A chuva tinha parado afinal, havia um arco-íris no céu que a tentou a colocar o chapéu de plumas, os sapatinhos de amarrar e sair para um passeio antes do jantar.

"Todo mundo tem seu par, menos eu", divagou ela, desconsolada, ao atravessar o corredor. Lá estavam as gralhas, Canute e Pippin... por mais transitórias que fossem suas alianças, mesmo assim pareciam ter parceiro nesse anoitecer. "Enquanto eu, que sou a dona de tudo", pensou Orlando, olhando ao passar as inúmeras janelas brasonadas do corredor, "sou solteira, não tenho companheiro, estou sozinha".

Esses pensamentos nunca haviam lhe passado pela cabeça antes. Agora eles a derrubavam inevitavelmente. Em vez de empurrar o portão aberto, ela bateu com a mão enluvada para o porteiro abrir para ela. É preciso apoiar-se em alguém, pensou ela, mesmo que apenas um porteiro; e quase desejou ficar para trás e ajudá-lo a grelhar sua costeleta em um balde de brasas, mas era muito tímida para pedir. Então, perdeu-se no parque sozinha, hesitante no início, apreensiva porque podia haver caçadores furtivos ou guarda-caças ou mesmo mensageiros que estranhariam uma grande dama sair sozinha. A cada passo ela espreitava, nervosa, temendo que alguma forma masculina pudesse estar escondida atrás de um arbusto de tojo ou alguma vaca selvagem abaixasse os chifres para avançar nela. Mas havia apenas as gralhas se exibindo no céu. Uma pena azul-aço caiu de uma delas entre as urzes. Ela adorava penas de pássaros selvagens. Costumava colecioná-las quando menino. Ela a pegou e espetou no chapéu. O ar soprou sobre seu espírito e o reviveu. As gralhas giravam e giravam acima de sua cabeça e pena após pena caíam brilhando no ar purpúreo, ela as seguiu morro acima, seu longo manto ondulando sobre a charneca. Há anos não andava tanto. Seis penas ela recolheu da grama, segurou com os dedos e apertou contra os lábios para sentir a suave plumagem cintilante, quando viu, brilhando na encosta da colina, uma poça de prata, misteriosa como o lago no qual sir Bedivere atirou a espada de Arthur. Uma única pena tremeu no ar e caiu no meio dela. Então, um estranho êxtase a dominou. Ocorreu-lhe alguma louca ideia de seguir os pássaros até a beira do mundo, jogar-se na turfa esponjosa e ali beber esquecimento, enquanto o rouco riso das gralhas soava sobre ela. Apressou o passo; correu; tropeçou; as duras raízes de urze a jogaram no chão. Seu tornozelo estava quebrado. Não conseguia se levantar. Mas ali ficou, contente. O cheiro da murta do pântano e a doçura do prado estavam em suas narinas. O riso rouco das gralhas em seus ouvidos. – Encontrei meu par – murmurou ela. – É a charneca. Eu sou a noiva da natureza – sussurrou, entregando-se em êxtase aos abraços frios da grama, encolhida em cima de sua capa no baixio junto à poça. – Aqui ficarei. – Uma pena caiu sobre sua testa. – Encontrei o laurel mais verde que o da coroa de louros. Minha testa estará sempre fresca. Estas são penas de pássaros selvagens, da coruja, do curiango. Sonharei sonhos loucos. Minhas mãos não usarão aliança de casamento – prosseguiu ela e tirou-a do dedo. – As raízes se enrolarão neles. Ah! – suspirou, e afundou a cabeça voluptuosamente em seu esponjoso travesseiro. – Procurei a felicidade durante muitas eras e não a encontrei; a fama, e me escapou; o amor, e não o conheci; a vida... e eis que a morte é melhor. Conheci muitos homens e muitas mulheres – continuou –, a ninguém entendi. É melhor que eu fique em paz aqui, apenas com o céu acima de mim, como o cigano me disse anos atrás. Foi na Turquia. – E ela olhou diretamente para a maravilhosa espuma dourada na qual as nuvens tinham se transformado e no momento seguinte viu nelas uma trilha, camelos passando em fila indiana pelo deserto rochoso, entre nuvens de poeira vermelha; e então, quando os camelos passaram, havia apenas montanhas, muito altas, cheias de fendas e picos de rocha, ela imaginou ouvir sinos de cabra tocando nos desfiladeiros, e nas dobras havia campos de íris e genciana. Então o céu mudou e seus olhos baixaram lentamente até chegarem à terra escurecida pela chuva e viu a grande elevação de South Downs, fluindo em uma onda ao longo da costa; e onde a terra se separava, estava o mar, o mar com os navios passando; e ela imaginou ter ouvido uma arma longe no mar, e pensou, de início: "É a Armada", depois pensou "Não, é o Nelson", e então lembrou-se de que essas guerras tinham acabado e os navios eram ativos navios mercantes; e as velas no rio sinuoso eram de barcos de recreio. Ela viu, também, gado espalhado pelos campos escuros, ovelhas e vacas, viu surgirem aqui e ali luzes nas janelas de casas de fazenda, e lampiões se deslocando entre o gado quando o pastor e o vaqueiro faziam sua ronda; então as luzes se apagaram, as estrelas surgiram e se enredaram no céu. Na verdade, ela adormecera com as penas molhadas no rosto e o ouvido pressionado no chão quando escutou, bem no fundo, um martelo numa bigorna, ou seria um coração batendo? Tic-toc, tic-toc, martelava, batia, a bigorna, ou o coração no meio da terra; até que, enquanto ouvia, pensou que mudara para o trote dos cascos de um cavalo; um, dois, três, quatro, ela contou; então ouviu um baque, que chegava mais e mais perto; ouviu o estalo de um galho e a sucção do pântano úmido nos cascos. O cavalo estava quase em cima dela. Ela se sentou. Ergueu-se no escuro contra o céu riscado de amarelo da madrugada, com pássaros subindo e descendo no alto, e viu um homem a cavalo. Ele se sobressaltou. O cavalo parou.

– Minha senhora – exclamou o homem e saltou para o chão –, está ferida!

– Estou morta, meu senhor! – replicou ela.

Minutos depois, estavam noivos.

Na manhã seguinte, sentados para o café da manhã, ele contou seu nome. Era Marmaduke Bonthrop Shelmerdine, Esquire.

– Eu sabia! – ela disse, pois havia nele algo romântico e cavalheiresco, apaixonado, melancólico, mas determinado, que combinava com o nome selvagem, de plumagem escura, nome que tinha, em sua mente, o brilho azul-aço das asas das gralhas, o riso rouco de seus grasnidos, o descer tortuoso e serpenteante de suas penas sobre uma poça de prata, e mil outras coisas que serão descritas em breve.

– O meu é Orlando – disse ela. Ele tinha adivinhado. Porque, se você vê um navio com as velas cheias singrando orgulhosamente sob o sol pelo Mediterrâneo vindo dos mares do sul, alguém logo diz: "Orlando", ele explicou.

De fato, embora a relação deles fosse tão recente, em dois segundos, no máximo, eles adivinharam, como sempre acontece com amantes, tudo o que era importante para ambos, e restava agora apenas preencher os detalhes sem importância, como o nome deles; onde viviam; se eram mendigos ou pessoas importantes. Ele tinha um castelo nas Hébridas, mas estava arruinado, contou a ela. Gansos festejavam no salão de banquetes. Ele tinha sido soldado e marinheiro, tinha explorado o Oriente. Agora, estava a caminho de se juntar a seu brigue em Falmouth, mas o vento tinha cessado e só quando o vento soprasse do sudoeste ele poderia lançar-se ao mar. Da janela da sala de café da manhã, Orlando olhou depressa para o leopardo dourado do cata-vento. Felizmente, sua cauda apontava para o leste, firme como uma rocha.

– Ah! Shel, não me deixe! – disse ela. – Estou apaixonada por você – disse ela. Mal as palavras saíram de sua boca e uma terrível suspeita ocorreu em ambas as mentes simultaneamente.

– Você é mulher, Shel! – exclamou ela.
– Você é homem, Orlando! – exclamou ele.

Nunca, desde o começo do mundo, se viu uma cena assim de protesto e demonstração. Quando acabou e estavam sentados novamente, ela perguntou o que era aquela conversa de vento do sudoeste. Para onde ele ia?

– Para o Horn – disse ele brevemente, e corou. (Porque um homem corava tanto quanto uma mulher, só que por coisas bastante diferentes.) Foi apenas por força de grande pressão do lado dela e do uso de muita intuição que ela concluiu que a vida dele consistia na mais desesperada e esplêndida aventura, que é contornar o Cabo Horn nas garras de um vendaval. Mastros tinham sido arrancados; velas rasgadas em tiras (ela teve que arrancar dele essa confissão). Às vezes, o navio afundara e ele tinha sido o único sobrevivente em uma jangada com um biscoito.

– É quase só isso que um sujeito pode fazer hoje em dia – disse ele, timidamente, e serviu-se de grandes colheradas de geleia de morango. A visão que ela teve em seguida, daquele menino (pois ele era um pouco mais que isso) chupando balas de hortelã, pelas quais tinha paixão, enquanto os mastros se partiam, as estrelas giravam e ele rugia ordens breves para cortar uma coisa, jogar outra ao mar, lhe trouxe lágrimas aos olhos, lágrimas, ela notou, de um sabor mais refinado que qualquer que ela tivesse chorado antes: "Eu sou uma mulher", pensou ela, "uma mulher de verdade, enfim". Agradeceu a Bonthrop do fundo do coração por ter lhe dado esse deleite raro e inesperado. Se ela não estivesse mancando do pé esquerdo, teria sentado no colo dele.

– Shel, meu querido – retomou ela –, me diga... – E então conversaram duas horas ou mais, talvez sobre o Cabo Horn, talvez não, e realmente seria de pouco proveito escrever o que disseram, pois se conheciam tão bem que podiam dizer qualquer coisa, o que equivale a não dizer nada, ou dizer coisas idiotas e prosaicas, como uma receita de omelete ou onde comprar as melhores botas de Londres, coisas que não têm brilho fora de seu contexto, mas são positivamente de incrível beleza dentro dele.

Pois veio a acontecer, pela sábia economia da natureza, que nosso espírito moderno pode quase dispensar a linguagem; as expressões mais comuns servem, uma vez que nenhuma expressão serve; portanto, a conversa mais comum é quase sempre a mais poética, e a mais poética é justamente o que não se pode escrever. Razões pelas quais deixamos aqui um grande espaço em branco, que deve ser tomado como indício de que o espaço está totalmente preenchido.

Depois de mais alguns dias desse tipo de conversa – "Orlando, minha querida" –, Shel começou a falar, quando houve uma altercação fora, e Basket, o mordomo, entrou com a informação de que havia uma dupla de policiais lá embaixo com um mandado da rainha.

– Faça entrar – disse Shelmerdine brevemente, como se estivesse em seu próprio convés, assumindo, por instinto, uma postura, com as mãos às costas, diante da lareira. Dois policiais de fardas verde-garrafa e cassetetes na cintura entraram na sala e ficaram em posição de sentido. Terminadas as formalidades, eles entregaram nas mãos de Orlando, conforme era sua missão, um documento legal de algum tipo muito impressionante; a julgar pelos selos de lacre, as fitas, os juramentos e as assinaturas, que eram todos da mais alta importância.

Orlando passou os olhos por eles e então, usando o primeiro dedo da mão direita como ponteiro, leu os seguintes fatos como os mais pertinentes ao assunto.

– Os processos estão concluídos – leu ela – ... alguns a meu favor, como, por exemplo... outros não. Casamento turco anulado ("fui embaixador em Constantinopla, Shel", explicou ela). Filhos considerados ilegítimos ("disseram que tive três filhos com Pepita, uma dançarina espanhola"). Então eles não vão herdar, o que é bom... Sexo? Ah! que tal sexo? Meu sexo – ela leu com alguma solenidade – determina-se indiscutivelmente, e além de qualquer sombra de dúvida (– o que eu estava te dizendo há pouco, Shel?), feminino. Os bens antes sequestrados retornam *in perpetuum* à minha posse, vinculados aos herdeiros masculinos do meu corpo, ou na ausência de casamento – mas aqui ela ficou impaciente com o palavreado legal, e disse –, mas não haverá nenhuma ausência de casamento, nem de herdeiros, então o restante não precisa ser lido. – Diante disso, ela anexou a própria assinatura abaixo da de lorde Palmerston e entrou a partir daquele momento na posse inquestionável de seus títulos, sua casa e sua propriedade, que estava agora bastante reduzida, pois o custo das ações judiciais tinha sido tão prodigioso que, embora fosse infinitamente nobre outra vez, era também extremamente pobre.

Quando o resultado do processo foi divulgado (e os rumores voavam mais rápido do que o telégrafo que os suplantou), toda a cidade se encheu de alegria.

[Atrelaram cavalos em carruagens com o único propósito de saírem à rua. Caleches e landaus vazios rodavam para cima e para baixo da High Street incessantemente. Leram discursos no Bull. Vieram respostas do Stag. A cidade se iluminou. Selaram cofres de ouro dentro de caixas de vidro. Colocaram devidamente moedas debaixo de pedras. Fundaram hospitais. Inauguraram clubes de extermínio de ratos e pardais. Dezenas de mulheres turcas foram queimadas em efígie no mercado, juntamente com dezenas de meninos camponeses com o letreiro "Sou um vil fingidor" pendurado da boca. Logo se viu os cavalos de cor creme da rainha a trotar pela avenida com ordem para Orlando jantar e dormir no castelo, nessa mesma noite. Sua mesa, como em uma ocasião anterior, estava coberta de convites da condessa de R., lady Q., lady Palmerston, a marquesa de P., a sra. W.E. Gladstone e outros, solicitando o prazer de sua companhia, relembrando antigas alianças entre suas famílias e a dela, etc.] – tudo isso devidamente colocado entre colchetes, como acima, pela boa razão de que era um parêntese sem nenhuma importância na vida de Orlando. Ela passou por cima disso tudo, para continuarmos com o texto. Porque, quando as fogueiras estavam acesas no mercado, ela estava na floresta escura, sozinha com Shelmerdine. O tempo estava tão bom que as árvores estendiam os ramos imóveis acima deles, e se uma folha caía, caía manchada de vermelho e dourado, tão lentamente que se podia olhar durante meia hora, tremulando, até finalmente descansar ao pé de Orlando.

– Me fale, Mar – disse ela (e cabe aqui explicar que, quando o chamava pela primeira sílaba de seu primeiro nome, ela estava em um humor sonhador, amoroso, aquiescente, doméstico, um pouco lânguido, como se lenha aromáticaa queimasse, fosse o entardecer, e não hora de se vestir ainda, e estivesse um pouquinho úmido talvez lá fora, o suficiente para fazer as folhas brilharem, mas um rouxinol podia estar cantando entre as azaleias mesmo assim, dois ou três cães latindo em fazendas distantes, um galo cantando, tudo o que o leitor pode imaginar na voz dela). – Me fale, Mar – disse ela –, sobre o cabo Horn. – Então Shelmerdine fez no chão uma pequena maquete do Cabo, com galhos, folhas mortas e uma ou duas conchas vazias de caracol.

– Aqui é o norte – disse ele. – Aqui é o sul. O vento vem vindo por aqui. Então o brigue está navegando para oeste; acabamos de baixar a vela de mezena: então, veja, aqui, onde está este pedaço de grama, ele entra na corrente que está marcada; onde está meu mapa e a bússola, contramestre? Ah! Obrigado, isso aqui serve, onde está essa concha de caracol. A corrente pega pelo lado de estibordo, então temos de montar a mezena senão ela nos carrega para bombordo, que é onde está essa folha de faia, porque você deve entender, minha querida, que... – e então ele continuava, e ela ouvia cada palavra; que interpretava corretamente, de modo a ver, isto é, sem que ele precisasse lhe dizer, a fosforescência das ondas; os pingentes de gelo tilintando nas enxárcias; como ele foi para o topo do mastro num vendaval; lá refletiu sobre o destino do homem; desceu de novo; tomou um uísque com soda; foi para terra; viu-se preso a uma mulher negra; arrependeu-se; raciocinou; leu Pascal; decidido a escrever filosofia; comprou um macaco; debateu a verdadeira finalidade da vida; decidiu a favor do Cabo Horn e assim por diante. Tudo isso e mil outras coisas ela entendeu quando ele falou, e então quando ela replicou: É, negras são sedutoras, não são? Quando ele dizia que o suprimento de biscoitos acabara, ele ficou surpreso e encantado ao constatar como ela havia entendido bem o que ele queria dizer.

– Tem certeza de que você não é homem? – perguntou ele, ansioso, e ela ecoou:

– Será possível que você não seja mulher? – E então eles tinham de pôr isso à prova sem mais delongas. Porque ambos ficaram surpresos com a rapidez da empatia de um pelo outro, e foi para ambos uma tal revelação que uma mulher pudesse ser tão tolerante e franca como um homem, e um homem tão estranho e sutil como uma mulher, que tiveram que pôr o assunto à prova de uma vez.

E assim continuavam falando, ou melhor, entendendo, que é o que se tornou a principal arte do discurso, numa época em que as palavras estão ficando cada dia mais escassas, em comparação a ideias como "os biscoitos acabaram" significar beijar uma negra no escuro quando se acabou de ler a filosofia do Bishop Berkeley pela décima vez. (E daí se conclui que apenas os mais profundos mestres do estilo conseguem dizer a verdade, e, quando um encontra um escritor monossilábico simples, pode-se concluir, sem qualquer dúvida, que o pobre homem está mentindo.)

Assim conversavam; e então, quando os pés dela estavam bem cobertos com folhas de outono manchadas, Orlando se ergueu e se afastou para o coração da floresta em solidão, deixando Bonthrop sentado ali entre as conchas de caracol, fazendo maquetes do Cabo Horn. – Bonthrop – disse ela –, vou voltar. – E quando ela o chamava por seu segundo nome, "Bonthrop", deve significar para o leitor que ela estava num estado de espírito solitário, sentia os dois como partículas num deserto, desejava apenas encontrar a morte sozinha, porque as pessoas morrem diariamente, morrem nas mesas de jantar, ou assim, ao ar livre na floresta de outono; e com as fogueiras acesas e lady Palmerston ou lady Derby convidando-a para jantar todas as noites, o desejo de morte a dominava, e assim, ao dizer "Bonthrop", ela dizia, de fato, "estou morta", e seguiu seu caminho como um espírito faria através das faias pálidas como espectros, e assim mergulhou profundamente na solidão, como se a pequena centelha de ruído e movimento tivesse acabado e ela estivesse agora livre para seguir seu caminho; tudo isso o leitor deve ouvir na voz dela quando disse "Bonthrop", e deve acrescentar também, para melhor esclarecer a palavra, que para ele também a mesma palavra significou, misticamente, separação, isolamento e os fantasmas a vagar pelo convés de seu brigue em mares insondáveis.

Depois de algumas horas de morte, de repente um gaio gritou "Shelmerdine", e, inclinando-se, ela pegou um daqueles açafrões de outono, que para algumas pessoas significa essa mesma palavra, e colocou-o em seu peito junto com a pena de gaio que veio caindo azul pela floresta de faias. Então, chamou "Shelmerdine", e a palavra disparou de um lado para o outro pela floresta e o atingiu onde estava sentado, fazendo miniaturas com conchas de caracol na grama. Ele a viu e ouviu ao se aproximar com o açafrão e a pena de gaio no peito, e gritou – Orlando –, o que significava (e deve-se lembrar de que, quando cores vivas como o azul e o amarelo se misturam em nossos olhos, uma parte disso passa para os nossos pensamentos), em primeiro lugar, samambaias arqueando e balançando como se algo passasse por elas; o que se mostrou como um navio a toda vela, se erguendo e sacudindo um pouco sonhadoramente, como se ela tivesse um ano inteiro de dias de verão para viajar; e então o navio baixa, se ergue para cá, se ergue para lá, nobre, indolente, cavalga na crista desta onda, afunda no vazio daquela, e então, de repente, está acima de você (que está em uma pequena concha de marisco de um barco, olhando para ela), com todas as velas tremendo, e, então, eis que elas caem todas numa pilha no convés, como Orlando caiu então na grama ao lado dele.

Oito ou nove dias se passaram assim, mas no décimo, que foi o dia 26 de outubro, Orlando estava deitada entre as samambaias, enquanto Shelmerdine recitava Shelley (cujas obras completas ele sabia de cor), quando uma folha que tinha começado a cair bastante devagar da copa de uma árvore rodou, animada, aos pés de Orlando. Uma segunda folha a seguiu e uma terceira. Orlando estremeceu e ficou pálida. Era o vento. Shelmerdine (só que agora seria mais adequado chamá-lo de Bonthrop) se pôs de pé de um salto.

– O vento! – exclamou.

Juntos, os dois correram pela floresta, o vento os cobria de folhas enquanto corriam, até o grande pátio e através dele e dos pátios pequenos, os criados assustados deixavam as vassouras e as panelas para seguir atrás, até que chegaram à capela, e ali acenderam uma enormidade de velas o mais depressa possível, um derrubava este banco, outro espevitava um pavio. Sinos tocaram. Pessoas foram convocadas. Por fim, ali estava o sr. Dupper arrumando as pontas da gravata branca e perguntou onde estava o livro de orações. E colocaram o livro de orações da rainha Mary em suas mãos e ele procurou, virou as páginas depressa, e disse: – Marmaduke Bonthrop Shelmerdine e lady Orlando, ajoelhem-se.

– Eles se ajoelharam, e ficavam ora brilhantes, ora escuros conforme a luz e a sombra baixavam, desordenadas, através das janelas coloridas; e em meio ao bater de inúmeras portas e a um ruído como de potes de latão se chocando, o órgão soou, do alto veio seu rugido que se alternava, forte e fraco, e o sr. Dupper, que era um homem muito velho, tentou elevar a voz acima do tumulto, não conseguiu ser ouvido, então tudo se aquietou por um momento, e uma expressão, talvez "as mandíbulas da morte", soou claramente, enquanto todos os empregados da propriedade se empurravam para ouvir com ancinhos e chicotes ainda nas mãos, alguns cantavam alto, outros oravam, então um pássaro bateu contra a vidraça, e houve o estrondo de um trovão, de modo que ninguém ouviu a palavra "obedecer", nem viu, a não ser num relance dourado, a aliança passar de uma mão para outra mão. Tudo era movimento e confusão. E eles se levantaram com o órgão tocando, os raios brilhando, a chuva caindo, e lady Orlando, com a aliança no dedo, saiu para o pátio com seu vestido fino, segurou o estribo oscilante, pois o cavalo estava selado e arreado, a espuma ainda em seu flanco, para o marido montar, o que ele fez de um salto, e o cavalo empinou. Orlando, ali parada, exclamou "Marmaduke Bonthrop Shelmerdine!", e ele respondeu "Orlando!", e as palavras voaram, circularam como falcões selvagens juntos entre os campanários mais e mais alto, mais e mais longe, mais e mais rápido, circularam, até que colidiram e caíram em uma chuva de fragmentos no chão; e ela entrou.

6

Orlando entrou em casa. Tudo completamente parado. Tudo muito silencioso. Ali o tinteiro; ali a caneta; ali o manuscrito de seu poema, interrompido no meio de uma homenagem à eternidade. Ela estava prestes a dizer "nada muda", quando Basket e Bartholomew interromperam com o chá. E então, no espaço de três segundos e meio, tudo mudou: ela quebrou o tornozelo, se apaixonou, se casou com Shelmerdine.

A aliança de casamento em seu dedo para provar isso. Verdade que ela mesma a pôs ali antes de conhecer Shelmerdine, mas isso mostrou-se pior que inútil. Ela agora girava a aliança e girava, com reverência supersticiosa, com cuidado para que não escorregase pela junta do dedo.

– A aliança de casamento deve ser colocada no terceiro dedo da mão esquerda – disse ela, como uma criança que repete cautelosamente uma lição – para servir para alguma coisa.

Assim ela falou, em voz alta e um pouco mais pomposa do que de costume, como se desejasse que alguém, cuja opinião favorável respeitava, a ouvisse. Na verdade, o que tinha em mente, agora que finalmente conseguia organizar as ideias, era o efeito que seu comportamento teria sobre o espírito da época. Estava extremamente ansiosa para ser informada se os passos que tinha tomado, nessa questão de ficar noiva de Shelmerdine e se casar com ele, encontravam aprovação. Sem dúvida sentia-se mais equilibrada. Seu dedo não tinha formigado nenhuma vez, ou quase nada, desde aquela noite no pântano. Mas não podia negar que tinha suas dúvidas. Estava casada, verdade; mas, se o marido estava sempre navegando ao redor do Cabo Horn, era casamento? Se alguém gostasse dele, era casamento? Se alguém gostasse de outras pessoas, era casamento? E, finalmente, se alguém ainda desejasse, mais do que qualquer coisa no mundo inteiro, escrever poesia, era casamento? Ela tinha suas dúvidas.

    Que ia pôr à prova. Olhou o anel. Olhou o tinteito. Ela ousava? Não, não ousava. Mas devia. Não, não podia. O que deveria fazer então? Desmaiar, se possível. Mas nunca tinha se sentido melhor em sua vida.

    – Que se dane! – exclamou ela, com um toque de seu antigo espírito. – Vamos lá!

    Mergulhou o pescoço da caneta fundo na tinta. Para sua enorme surpresa, não houve explosão. Ela ergueu a ponta. Estava molhada, mas não gotejou. Ela escreveu. As palavras demoraram um pouco a chegar, mas chegaram. Ah! Mas faziam sentido?, ela se perguntou, com certo pânico de que a caneta tivesse aprontado alguma travessura involuntária outra vez. Ela leu:

E então cheguei a um campo onde a grama nascente
Estava encoberta pelas copas pendentes de fritilárias,
Sombrias, estrangeiras, a flor serpenteante,
Envolta em roxo fosco, como meninas egípcias.

    Ao escrever, ela sentiu alguma potência (lembre-se de que estamos lidando com as mais obscuras manifestações do espírito humano) lendo por cima do ombro, e, quando escreveu "meninas egípcias", a potência lhe disse para parar. Grama, a potência parecia dizer, voltando ao começo com uma régua, como governantas costumavam fazer, tudo bem; as copas pendentes de fritilares, admirável; a flor serpenteante, uma ideia forte para a pena de uma senhora, talvez, mas Wordsworth, sem dúvida, sancionaria; porém... meninas? As meninas são necessárias? Você tem um marido no Cabo, não é? Ah, bem, então vai servir.

E assim o espírito seguiu em frente.

Orlando agora prestava em espírito (pois tudo isso ocorria no espírito) uma profunda reverência ao espírito de sua época, assim como (para comparar grandes coisas com pequenas) um viajante, sabendo que tem um maço de charutos no canto da mala, faz uma reverência ao funcionário da alfândega que gentilmente fez um rabisco de giz branco na tampa. Porque ela estava extremamente desconfiada de que, se o espírito examinasse o conteúdo de sua mente com cuidado, não teria encontrado algo altamente contrabandeado, pelo qual teria de pagar a multa integral. Ela só tinha escapado por um triz. Tinha acabado de conseguir, por alguma deferência hábil ao espírito da época, ao colocar um anel e encontrar um homem na charneca, ao amar a natureza e não ser satírica, cínica ou psicóloga (qualquer dessas mercadorias teria sido descoberta de imediato), passar na vistoria com sucesso. E deu um profundo suspiro de alívio, porque, de fato, podia dar, porque uma transação entre um escritor e o espírito da época é de infinita delicadeza, e todo destino de suas obras depende de um belo arranjo entre os dois. Orlando ordenara as coisas de tal forma que estava em uma posição extremamente feliz; não precisava lutar contra sua época, nem se submeter a ela; ela era da época, mas permanecia ela mesma. Agora, portanto, podia escrever, e escrever. Escreveu. Escreveu. Escreveu.

Era novembro agora. Depois de novembro, vem dezembro. Então janeiro, fevereiro, março e abril. Depois de abril vem maio. Junho, julho, agosto em seguida. O próximo é setembro. Depois outubro e, então, eis que estamos de volta em novembro, com um ano inteiro completo.

Este método de escrever biografia, embora tenha seus méritos, é um pouco despojado, talvez, e o leitor, se continuarmos com isso, pode reclamar que poderia recitar o calendário sozinho, e assim economizar qualquer quantia que a Hogarth Press possa considerar apropriada cobrar por este livro. Mas o que pode o biógrafo fazer quando seu assunto o coloca na situação difícil na qual Orlando nos colocou? Vida, concordam todos cuja opinião vale a pena consultar, é o único assunto adequado para romancista ou biógrafo; vida, as mesmas autoridades decidiram, não tem nada a ver com se sentar quieto em uma cadeira e pensar. O pensamento e a vida são como polos opostos. Portanto, uma vez que se sentar numa cadeira e pensar é precisamente o que Orlando está fazendo agora, não há nada a fazer senão recitar o calendário, rezar o rosário, assoar o nariz, ajeitar o fogo, olhar pela janela, até que ela termine. Orlando estava tão quieta que dava para ouvir um alfinete cair. Será mesmo que um alfinete caiu? Teria sido uma espécie de vida. Ou se uma borboleta tivesse voado pela janela e pousado na cadeira dela, sobre isso se pode escrever. Ou suponhamos que ela se levantou e matou uma vespa. Então, de imediato, poderíamos sacar nossas canetas e escrever. Pois haveria derramamento de sangue, mesmo que apenas o sangue de uma vespa. Onde há sangue, há vida. E se matar uma vespa é uma ninharia em comparação com matar um homem, ainda é um assunto mais adequado para um romancista ou biógrafo do que esse mero devaneio; essa concentração; esse ficar sentada numa cadeira dia após dia, com um cigarro, uma folha de papel, uma caneta e um tinteiro. Se ao menos os biografados, poderíamos reclamar (porque nossa paciência está se esgotando), tivessem mais consideração por seus biógrafos! O que é mais irritante do que ver seu personagem, sobre quem se desperdiçou tanto tempo e esforço, deslizar totalmente de nossas mãos e se entregar, basta ver seus suspiros, gemidos, seus rubores, sua palidez, os olhos ora brilhantes como lâmpadas, ora abatidos como um amanhecer, o que é mais humilhante do que ver toda essa demonstração idiota de emoção e entusiasmo passar diante de nossos olhos quando sabemos que o que causa tudo isso, pensamento e imaginação, não tem qualquer importância?

    Mas Orlando era uma mulher. Lord Palmerston acabara de comprová-lo. E como estamos escrevendo sobre a vida de uma mulher, podemos, todos concordam, dispensar nossa exigência de ação, e substituí-la por amor. O amor, disse o poeta, é toda a existência da mulher. E, se olharmos por um momento Orlando escrevendo em sua mesa, temos de admitir que nunca houve mulher mais preparada para esse chamado. Certamente, uma vez que ela é mulher, e uma bela mulher, uma mulher no auge da vida, ela logo vai desistir dessa pretensão de escrever e pensar, e começará, ao menos, a pensar em um guarda-caça (e contanto que pense em um homem, ninguém se opõe a que uma mulher pense). E então ela vai escrever para ele uma pequena nota (e, contanto que ela escreva pequenas notas, ninguém se opõe a que uma mulher escreva) e marcar um encontro para o crepúsculo de domingo, e o crepúsculo de domingo chegará; e o guarda-caça assobiará debaixo da janela; tudo isso, claro, a própria essência da vida e o único assunto possível para a ficção. Certamente Orlando deverá ter feito uma dessas coisas? Infelizmente, mil vezes, infelizmente, Orlando não fez nenhuma delas. Deve-se então admitir que Orlando era um daqueles monstros de iniquidade que não ama? Ela era delicada com os cachorros, fiel aos amigos, a própria generosidade para uma dúzia de poetas famintos, tinha paixão pela poesia. Mas o amor, como definem os romancistas homens, e quem, afinal, fala com maior autoridade?, não tem nada a ver com delicadeza, fidelidade, generosidade ou poesia. O amor é tirar a anágua de alguém e... Mas nós todos sabemos o que é o amor. Orlando fez isso? A verdade nos obriga a dizer que não, ela não. Se, portanto, o assunto da biografia de alguém não vai ser nem amar nem matar, mas apenas pensar e imaginar, podemos concluir que ele ou ela não é melhor do que um cadáver e então abandoná-la.

O único recurso que agora nos resta é olhar pela janela. Havia pardais; havia estorninhos; havia uma porção de pombas, e uma ou duas torres, todos ocupados à sua maneira. Um encontra uma minhoca; outro, um caracol. Um voa para um galho, outro dá uma pequena corrida na grama. Então, um criado atravessa o pátio, com um avental de baeta verde. É de se pensar que ele esteja envolvido em alguma intriga com uma das empregadas na despensa, mas, como nenhuma prova visível nos é oferecida, no pátio, podemos apenas esperar pelo melhor e deixá-lo. Nuvens passam, finas ou grossas, com alguma perturbação na cor da grama abaixo. O relógio registra a hora com sua maneira enigmática de sempre. A mente começa a lançar uma pergunta ou duas, preguiçosa, em vão, sobre essa vida mesma. Vida, ela canta, ou melhor, cantarola, como uma chaleira no fogão. Vida, vida, o que és? Clara ou escura, o avental de baeta do lacaio ou a sombra do estorninho na grama?

Vamos, então, explorar esta manhã de verão, quando todos estão adorando a flor de ameixa e a abelha. E cantarolando e falando, vamos perguntar ao estorninho (que é um pássaro mais sociável do que a cotovia) o que ele pode pensar à beira da lata de lixo, de onde ele pega fios de cabelo de entre os dentes do pente do ajudante de cozinha. O que é a vida, perguntamos, encostados ao portão da fazenda; Vida, Vida, Vida!, grita o pássaro, como se tivesse ouvido e soubesse precisamente o que queremos dizer com este nosso hábito indiscreto de fazer perguntas dentro e fora de casa, de espiar e colher margaridas tal como é o caminho dos escritores quando não sabem o que dizer a seguir. Aí, eles vêm aqui, diz o pássaro, e me perguntam o que é a vida; Vida, Vida, Vida!

Trilhamos então o caminho da charneca, até o cume do morro azul-vinho e púrpura escuro, nos jogamos no chão, ali sonhamos e vemos um gafanhoto que carrega uma palha de volta para sua casa no vale. E ele diz (se o chirriar como o dele pode receber um nome tão sagrado e terno) que a Vida é trabalho, ou assim interpretamos o chirriar de sua garganta sufocada pela poeira. A formiga concorda e as abelhas também, mas, se ficarmos aqui tempo suficiente para perguntar às mariposas, quando vêm ao entardecer, deslizando entre as campânulas mais claras das urzes, elas vão soprar em nossos ouvidos absurdos tão loucos quanto os que se ouve nos fios de telégrafo em tempestades de neve; ti hi, ho ho. Risos, risos!, as mariposas dizem.

Tendo perguntado então de homem, pássaro, insetos, porque os peixes, nos dizem os homens, que viveram em cavernas verdes durante anos para ouvi-los falar, nunca, nunca o dizem, e então talvez saibam o que é a vida, depois de perguntar a eles e não ficarem mais sábios, apenas mais velhos e frios (pois não oramos um dia para resumir num livro algo tão duro, tão raro, que se poderia jurar ser o sentido da vida?), temos de voltar e dizer francamente ao leitor que espera na ponta dos pés ouvir o que é a vida: ai! não sabemos.

Nesse momento, mas apenas para salvar da extinção o livro, Orlando empurrou a cadeira, estendeu os braços, largou a caneta, foi à janela e exclamou: – Pronto!

Ela quase caiu no chão pela visão extraordinária que lhe chegou aos olhos. Havia o jardim e alguns pássaros. O mundo continuava como sempre. Durante todo o tempo em que escrevera, o mundo continuara.

— E se eu estivesse morta, seria a mesma coisa! — exclamou ela.

Era tal a intensidade de seus sentimentos que ela podia até imaginar que havia sofrido dissolução, e talvez algum desmaio, de fato, a atacara. Por um momento, ficou olhando com olhos fixos o bonito, indiferente espetáculo. Por fim, ela reviveu de um jeito singular. O manuscrito que repousava em cima de seu coração começou a se agitar e pulsar como se fosse uma coisa viva, e, o que era ainda mais estranho, revelava a delicada identidade que havia entre eles, Orlando, inclinando a cabeça, conseguia entender o que estava dizendo. Ele queria ser lido. Ele devia ser lido. Morreria em seu seio se não fosse lido. Pela primeira vez em sua vida, ela se voltou com violência contra a natureza. Os elkhounds e os arbustos de rosa a rodeavam em profusão. Mas cães e roseiras não sabem ler. É uma omissão lamentável por parte da Providência que nunca antes lhe ocorrera. Só os seres humanos têm essa capacidade. Os seres humanos se tornaram necessários. Ela tocou a campainha. Ordenou que a carruagem a levasse a Londres imediatamente.

— Ainda dá tempo de pegar o das onze e quarenta e cinco, milady — disse Basket. Orlando ainda não havia se dado conta da invenção da locomotiva a vapor, porque era tal a sua absorção nos sofrimentos de um ser que, embora não fosse ela mesma, ainda assim dependia inteiramente dela, que ela viu um trem pela primeira vez, tomou seu assento em um vagão, arrumaram o cobertor sobre seus joelhos sem pensar nem por um instante que "aquela invenção estupenda havia (dizem os historiadores) mudado completamente a face da Europa nos últimos vinte anos" (como, de fato, acontece com muito mais frequência do que os historiadores supõem). Ela percebeu apenas que era extremamente sujo; chacoalhava horrivelmente; e as janelas travavam. Perdida em pensamentos, foi conduzida a Londres em pouco menos de uma hora, e então estava na plataforma em Charing Cross sem saber para onde ir.

A velha casa em Blackfriars, onde ela havia passado tantos dias agradáveis no século XVIII, fora vendida, parte para o Exército de

Salvação, parte para uma fábrica de guarda-chuvas. Ela comprou outra em Mayfair, que era higiênica, conveniente e no coração do mundo moderno, mas era em Mayfair que seu poema realizaria seu desejo? Queira Deus, pensou ela, lembrando-se do brilho nos olhos das ladys e da simetria das pernas dos lordes, que eles não tenham começado a ler. Pois seria uma grande pena. Depois, havia lady R. Sem dúvida, o mesmo tipo de conversa continuaria ocorrendo lá. A gota podia ter mudado da perna esquerda para a direita do general talvez. O sr. L. podia ter ficado dez dias com R., em vez de T. Então o sr. Pope entraria. Ah! Mas o sr. Pope estava morto. Quem eram os sagazes agora, ela perguntou; mas não era uma pergunta que se pudesse fazer a um porteiro, e então ela seguiu em frente. Seus ouvidos agora estavam distraídos pelo tilintar de inúmeros sinos nas cabeças de inúmeros cavalos. Frotas das mais estranhas caixas sobre rodas rodavam pela calçada. Ela foi até o Strand. Ali o movimento era ainda pior. Veículos de todos os tamanhos, puxados por cavalos puro-sangue e por cavalos de tiro, transportavam uma viúva solitária ou seguiam lotados até em cima por homens com bigodes e chapéus de seda, tudo inextricavelmente misturado. Aos seus olhos, há tanto acostumados à aparência de uma folha simples de papel almaço, as carruagens, carroças e ônibus pareciam assustadoramente idiotas; e aos seus ouvidos, sintonizados com o arranhar da pena, o tumulto da rua soava como uma violenta e terrível cacofonia. Cada centímetro da calçada estava cheio. Rios de gente entravam e saíam, entrecruzando-se ao se movimentarem, e o trânsito irregular e desajeitado com incrível agilidade derramava-se incessantemente de leste e oeste. Ao longo da beira da calçada, havia homens com bandejas de brinquedos, berrando. Nas esquinas, mulheres sentadas com grandes cestos de flores da primavera, berrando. Meninos corriam entre os focinhos dos cavalos, com folhas impressas sobre o corpo, berrando também: "Tragédia! Tragédia!" A princípio, Orlando achou que tinha chegado em algum momento de crise nacional; mas, se era feliz ou trágico, ela não sabia dizer. Ela olhava ansiosamente para o rosto das pessoas. Mas isso a confundiu ainda mais. Daqui, vinha um homem mergulhado em desespero, resmungando para si mesmo como se sentisse alguma tristeza terrível. Ao passar por ele, um sujeito gordo e alegre o cutucou e abriu caminho como se fosse um festival para todo mundo. Na verdade, ela chegou à conclusão de que nada fazia sentido. Cada homem e cada mulher voltado para seus próprios assuntos. E para onde ela devia ir? Caminhava sem pensar, subia uma rua, descia outra, passou por vastas vitrines com pilhas de bolsas, espelhos, roupões, flores, varas de pescar, cestas de almoço; e tecidos de todos os matizes padrões e espessuras, enrolados, enfeitados, estendidos para cá e para lá. Às vezes, passava por avenidas de calmas mansões, sobriamente numeradas "um", "dois", "três" e assim por diante até duzentos ou trezentos, cada uma a cópia da outra, com dois pilares, seis degraus, um par de cortinas bem fechadas, almoços familiares servidos nas mesas, um papagaio olhando pela janela e um criado olhando por outra, até ficar tonta com a monotonia. Então chegou a grandes praças abertas com estátuas pretas brilhantes de homens gordos, bem abotoados no centro, cavalos de guerra empinando, colunas que subiam, fontes que caíam e pombos que voavam. Então caminhou e caminhou pela calçada entre as casas até sentir muita fome, e uma coisa vibrou em cima de seu coração e a repreendeu por tê-la esquecido totalmente. Era o seu manuscrito. *O carvalho*.

Ficou confusa com a própria negligência. Parou onde estava. Nenhuma carruagem à vista. A rua, que era larga e bonita, singularmente vazia. Apenas um senhor idoso se aproximava. Havia algo vagamente familiar em seu passo. Quando chegou perto, ela teve certeza de que o conhecera em algum momento. Mas onde? Será que esse senhor, tão elegante, tão digno, tão próspero, com uma bengala na mão e uma flor na botoeira, com o rosto rosado e rechonchudo, bigodes brancos penteados, poderia ser, sim, por Deus, era! seu velho, muito velho amigo, Nick Greene!

Ao mesmo tempo, ele olhou para ela; lembrou dela; a reconheceu.

– Lady Orlando! – exclamou ele, quase varrendo o pó com o chapéu de seda.

– Sir Nicholas! – exclamou ela. Porque intuitivamente ela tomou consciência, devido a alguma coisa em seu comportamento, que o indecente escritorzinho que satirizara a ela e a muitos outros no tempo da rainha Elizabeth tinha agora subido na vida, transformara-se com certeza num cavaleiro e, sem dúvida, uma dúzia de outras coisas boas também.

Com outra reverência, ela reconheceu que sua conclusão estava correta; ele era um sir; doutor em letras; professor. Era autor de vinte volumes. Era, em resumo, o crítico mais influente da era vitoriana.

Um violento tumulto de emoção a dominou ao encontrar com o homem que, anos atrás, tinha lhe causado tanta dor. Poderia ser ele o sujeito insidioso e inquieto camarada que queimara buracos em seus tapetes, que torrara queijo na lareira italiana, que contara histórias tão alegres de Marlowe e dos outros, com quem tinha visto o sol nascer em nove de cada dez noites? Ele estava agora elegantemente vestido com um terno matinal cinza, com uma flor rosada na botoeira e luvas de camurça cinza combinando. Mas no momento mesmo em que ela se maravilhava, ele fez outra reverência e perguntou se ela lhe daria a honra de almoçar com ele. A reverência foi um tanto exagerada, talvez, mas a imitação da boa educação era digna de crédito. Ela o acompanhou, cheia de perguntas, até um restaurante soberbo, todo veludo vermelho, toalhas de mesa brancas e galhetas de prata, tão diferente quanto possível da velha taverna ou café com seu piso lixado, bancos de madeira, tigelas de ponche e chocolate, cartazes e escarradeiras. Ele colocou polidamente as luvas sobre a mesa ao seu lado. Ela mal podia acreditar que era o mesmo homem. Tinha agora as unhas limpas; quando costumavam ter centímetros de comprimento. O queixo escanhoado, onde antes havia uma barba preta. Usava abotoaduras de ouro nos punhos, em vez de mergulhar no caldo a manga esfarrapada. Só foi, de fato, quando ele pediu o vinho, o que fez com um cuidado que a lembrou de seu gosto por Malmsey muito tempo atrás, que ela se convenceu de que era o mesmo homem.

– Ah! – disse ele, com um pequeno suspiro, que ainda era bastante confortável –, ah!, minha cara senhora, os grandes dias da literatura acabaram. Marlowe, Shakespeare, Ben Jonson eram gigantes. Dryden, Pope, Addison foram heróis. Todos, todos estão mortos agora. E com quem eles nos deixaram? Tennyson, Browning, Carlyle! – Ele pôs um imenso desprezo na voz. – A verdade

– disse ele, servindo-se de um copo de vinho – é que todos os nossos jovens escritores são pagos pelos livreiros. Produzem qualquer lixo que sirva para pagar as contas do alfaiate. É uma época – prosseguiu ele, servindo-se dos *hors-d'oeuvres* – marcada por conceitos preciosos e loucos experimentos, nenhum dos quais os elisabetanos teriam tolerado por um instante sequer.

– Não, minha cara senhora – continuou ele, e aprovou o linguado *au gratin*, que o garçom exibiu para sua sanção –, os grandes dias acabaram. Vivemos tempos degenerados. Devemos valorizar o passado, honrar aqueles escritores, pois ainda restam alguns deles, que tomam a antiguidade por modelo e escrevem não por dinheiro, mas... – Então, Orlando quase gritou *Glór*! Na verdade, podia jurar que o tinha ouvido dizer as mesmas coisas trezentos anos atrás. Os nomes eram diferentes, claro, mas o espírito era o mesmo. Nick Greene não tinha mudado, apesar de seu título. E, no entanto, alguma mudança havia. Porque, enquanto ele discorria sobre tomar Addison por modelo (tinha sido Cícero, um dia, pensou ela) e ficar deitado na cama de manhã (o que ela se orgulhava de pensar que a pensão que lhe pagava trimestralmente permitia que fizesse), a rolar na língua as melhores obras dos melhores autores, rolar e rolar durante uma hora, pelo menos, antes de colocar a caneta ao papel, para que a vulgaridade da atualidade e a deplorável condição de nossa língua nativa (ele devia ter vivido muito tempo na América, pensou ela) possam ser purificadas. Enquanto ele discorria da mesma maneira que Greene trezentos anos atrás, ela teve tempo de se perguntar, como ele havia mudado? Ficara gordo; mas era um homem beirando os setenta. Ficara elegante: a literatura tinha sido, evidentemente, uma atividade próspera; mas de alguma forma a velha vivacidade inquieta e agitada tinha desaparecido. Suas histórias, por mais brilhantes que fossem, não eram mais tão livres e soltas. Ele mencionava, é verdade, "meu caro amigo Pope" ou "meu ilustre amigo Addison" a cada dois segundos, mas tinha um ar de respeitabilidade que era deprimente, e parecia preferir esclarecê-la sobre os atos e ditos dos próprios familiares sanguíneos dela, do que contar, como costumava fazer, escândalos referentes aos poetas.

Orlando ficou inexplicavelmente desapontada. Tinha pensado em literatura todos esses anos (sua reclusão, sua posição, seu sexo deviam ser sua desculpa) como algo livre como o vento, quente como o fogo, rápido como um raio; algo errante, incalculável, abrupto, e eis que a literatura era um idoso cavalheiro de terno cinza falando sobre duquesas. A violência de sua desilusão era tal que algum colchete ou botão da parte superior de seu vestido se abriu, e sobre a mesa caiu *O carvalho – um poema*.

– Um manuscrito! – disse sir Nicholas, colocando o pincenê de ouro. – Que interessante, interessante demais! Permita que eu dê uma olhada. – E mais uma vez, após um intervalo de cerca de trezentos anos, Nicholas Greene pegou o poema de Orlando e, colocando-o entre as xícaras de café e o copos de licor, começou a ler. Só que agora seu veredicto foi muito diferente do que tinha sido na época. Aquilo o lembrava, disse ele enquanto virava as páginas, do "Catão" de Addison. Comparava-o favoravelmente com "As estações" de Thomson. Não havia nenhum traço nele, era-lhe grato dizer, do espírito moderno. Era composto com respeito à verdade, à natureza, aos ditames do coração humano, o que era raro, de fato, nestes dias de excentricidade sem escrúpulos. Devia, é claro, ser publicado imediatamente.

Realmente Orlando não sabia o que ele queria dizer. Ela sempre levava o manuscrito com ela no peito do vestido. A ideia divertia sir Nicholas consideravelmente.

– Mas... e quanto aos royalties? – perguntou ele.

O pensamento de Orlando voou para o palácio de Buckingham e para algumas obscuras realezas que por acaso se hospedavam lá.

Sir Nicholas achou muito divertido. Explicou que estava se referindo ao fato de que os srs. ... (e mencionou uma conhecida empresa de editores) ficariam encantados, se ele lhes escrevesse uma palavra, para colocar o livro na lista deles. Ele provavelmente poderia conseguir um royalty de dez por cento em todos os exemplares até dois mil; depois disso, seriam quinze. Quanto aos críticos, ele mesmo escreveria uma palavra ao sr. ..., que era o mais influente; em seguida, um recado, digamos uma pequena louvação de seus próprios poemas, dirigido à esposa do editor do ... não faria mal algum. Iria ver... Ele continuou discorrendo. Orlando não entendeu nada daquilo tudo, e, pela experiência anterior, não confiava totalmente na boa natureza dele, mas não havia nada a fazer senão submeter-se ao que era evidentemente a vontade dele e o desejo fervoroso do próprio poema. Então, sir Nicholas dobrou o manuscrito manchado de sangue em um volume caprichado que achatou no bolso do peito, para não alterar a elegância do paletó; e com muitos elogios de ambos os lados os dois se separaram.

Orlando seguiu pela rua. Agora que o poema tinha ido embora, e ela sentiu um vazio no peito, onde costumava levá-lo, não tinha nada a fazer senão refletir sobre o que quisesse: os acasos extraordinários do destino humano. Ali estava ela na St. James's Street; uma mulher casada; com aliança no dedo; onde antes havia um café, agora era um restaurante; era cerca de três e meia da tarde; o sol estava brilhando; havia três pombos; um vira-lata; duas charretes e uma carruagem landau. O que era a vida então? O pensamento lhe veio à cabeça de forma violenta, irrelevante (a menos que o velho Greene fosse de alguma forma a causa disso). E o que pode ser visto como um comentário, adverso ou favorável, conforme o leitor escolha considerar as relações dela com o marido (que estava no Cabo Horn), é que, sempre que algo surgia violentamente em sua cabeça, ela ia direto ao telégrafo mais próximo e telegrafava para ele. Por acaso, havia um logo ali, à mão. "Meu Deus, Shel", telegrafou ela; "vida literatura Greene bajulador...", ali ela recorreu a uma linguagem cifrada que eles haviam inventado entre eles, de modo que todo um estado espiritual de extrema complexidade podia ser transmitido em uma ou duas palavras sem que o funcionário do telégrafo entendesse, e acrescentou as palavras "Rattigan Glumphoboo", que resumia tudo com precisão. Pois não só os acontecimentos da manhã causaram nela uma profunda impressão, como não deve ter escapado à atenção do leitor que Orlando estava crescendo, não necessariamente para melhor, e "Rattigan Glumphoboo" descrevia um estado espiritual muito complicado, que, se o leitor colocar toda a sua inteligência a nosso serviço, poderá descobrir por si mesmo.

Não haveria resposta para o seu telegrama durante algumas horas; na verdade, era provável, pensou ela, olhando o céu, onde as nuvens altas corriam depressa, que houvesse um vendaval no Cabo

Horn, de modo que seu marido estaria no topo do mastro, provavelmente, ou cortando algum mastro quebrado, ou mesmo sozinho em um bote com um biscoito. E assim, ao sair do correio, ela entrou, para se distrair, na primeira loja, que era uma loja tão comum em nossos dias que não precisa de descrição, embora, aos olhos dela, fosse estranha ao extremo; uma loja onde vendiam livros. Durante toda a sua vida, Orlando conhecera manuscritos; tinha tido em mãos as ásperas folhas marrons nas quais Spenser escrevera com seus garranchos; tinha visto os originais de Shakespeare e de Milton. Ela possuía, de fato, um bom número de quartos e fólios, muitas vezes com um soneto em seu louvor e às vezes uma mecha de cabelo. Mas aqueles inúmeros pequenos volumes, brilhantes, idênticos, efêmeros, pois pareciam encadernados em papelão e impressos em papel de seda, a surpreenderam infinitamente. As obras completas de Shakespeare custavam meia coroa e podiam ser colocadas no bolso. Difíceis de ler, de fato, as letras tão pequenas, mas era uma maravilha, mesmo assim. "Obras"; as obras de todos os escritores que ela conhecera ou de que ouvira falar e de muitos outros espalhadas de ponta a ponta das longas prateleiras. Nas mesas e cadeiras, mais "obras" empilhadas e caídas, e estas ela viu, virando uma ou duas páginas, que muitas vezes eram obras de sir Nicholas sobre outras obras e uma vintena de outras que, em sua ignorância, ela supôs, uma vez que estavam impressas e encadernadas, serem também de grandes escritores. Então, fez ao livreiro o pedido surpreendente de que lhe enviasse tudo de alguma importância na loja e saiu.

Entrou no Hyde Park, que ela conhecia de velhos tempos (debaixo daquela árvore fendida, ela lembrou, o duque de Hamilton caiu, o corpo atravessado por lorde Mohun), e seus lábios, tantas vezes culpados, começaram a dar forma às palavras de seu telegrama em uma cantiga sem sentido; vida literatura Greene bajulador Rattigan Glumphoboo; de forma que vários guardas do parque olharam para ela, desconfiados, e só foram levados a uma opinião favorável de sua sanidade ao notar o colar de pérolas que ela usava. Levava da livraria uma pilha de periódicos e revistas de crítica, e, por fim, deitou-se debaixo de uma árvore apoiada no cotovelo, espalhou as páginas a seu redor e fez o que pôde para compreender a nobre arte de composição em prosa que aqueles mestres praticavam. Porque a velha credulidade ainda estava viva nela; até mesmo a impressão borrada de um jornal semanal era de certa forma sagrada a seus olhos. Então, ela leu, deitada sobre o cotovelo, um artigo de sir Nicholas sobre as obras reunidas de um homem que conhecera, John Donne. Mas, sem saber, ela se colocara não longe da Serpentine. O latido de mil cães soava em seus ouvidos. As rodas da carruagem giravam incessantemente em círculo. Folhas suspiravam acima dela. De vez em quando, uma saia pregueada e uma calça justa escarlate cruzavam a grama a poucos passos. Uma bola de borracha gigante quicou num jornal. Tons violeta, alaranjados, vermelhos e azuis irrompiam dos interstícios das folhas e cintilavam na esmeralda em seu dedo. Ela leu uma frase e olhou para o céu; olhou para o céu e baixou os olhos para o jornal. Vida? Literatura? Uma transformada na outra? Mas que monstruosamente difícil! Como... uma calça justa escarlate passou... como Addison teria colocado isso? Aí, vieram dois cachorros dançando nas patas traseiras. Como Lamb teria descrito aquilo? Porque, ao ler sir Nicholas e seus amigos (como fazia nos intervalos de olhar em torno), ela de alguma forma ficou com a impressão (aí se levantou e caminhou) de que eles faziam a pessoa sentir (era um sentimento extremamente incômodo) que nunca se deve dizer o que se pensa. (Ela parou à margem da Serpentine. Era cor de bronze; barcos finos como aranhas deslizavam de um lado para o outro.) Eles faziam a pessoa sentir, continuou, que se deve sempre, sempre, escrever como outra pessoa. (Formaram-se lágrimas em seus olhos.) Pois realmente, pensou ela, empurrando um barquinho com a ponta do pé, acho que eu não conseguiria (aqui todo artigo de sir Nicholas lhe voltou como os artigos voltam, dez minutos depois de lidos, com a visão do quarto dele, de sua cabeça, seu gato, sua escrivaninha e a hora do dia), acho que eu não conseguiria, continuou ela, considerando o artigo deste ponto de vista, sentar em um estúdio, não, não é um estúdio, é uma espécie de sala de estar mofada, durante o dia todo, e conversar com jovens bonitos, e contar-lhes pequenas anedotas, que eles não devem repetir, sobre o que Tupper disse de Smiles; e, além disso, continuou ela, chorando amargamente, eles são todos tão viris; e eu detesto duquesas; não gosto de bolo; e, embora eu seja bastante rancorosa, jamais conseguiria ser tão rancorosa assim, então como posso ser crítica e escrever a melhor prosa inglesa da minha época? Dane-se tudo!, exclamou ela, lançando um vaporzinho de um penny com tanta força que o pobre barquinho quase afundou nas ondas cor de bronze.

Agora, a verdade é que, quando alguém se encontra em um estado de espírito (como dizem as enfermeiras), e as lágrimas ainda estavam nos olhos de Orlando, a coisa que a pessoa olha torna-se, não ela mesma, mas outra coisa, que é maior, muito mais importante e ainda assim permanece a mesma coisa. Se alguém olhar para a Serpentine nesse estado de espírito, as ondas logo se tornam tão grandes quanto as ondas do Atlântico; os barcos de brinquedo tornam-se indistinguíveis de transatlânticos. Assim, Orlando confundiu o barco de brinquedo com o brigue de seu marido; e a onda que fez com a ponta do pé com uma montanha de água ao largo do Cabo Horn; e, enquanto observava o barco de brinquedo subir na ondulação, ela pensou ter visto o navio de Bonthrop subir e subir por uma parede vítrea; subir e subir, e uma crista branca com mil mortes dentro dela se arquear; e através das mil mortes seguir e desaparecer – Afundou! – ela gritou em agonia; e, então, eis que lá estava novamente navegando são e salvo entre os patos do outro lado do Atlântico.

– Êxtase! – exclamou ela. – Êxtase! Onde é o correio? – ela se perguntou. – Porque tenho de telegrafar imediatamente para Shel e dizer que... – E repetindo "Barco brinquedo na Serpentine" e "Êxtase", alternadamente, porque as ideias eram intercambiáveis e significavam exatamente a mesma coisa, foi depressa na direção de Park Lane.

"Um barco de brinquedo, um barco de brinquedo, um barco de brinquedo", repetia ela, reforçando para si mesma o fato de que não são artigos de Nick Greene sobre John Donne, nem programas de oito horas, nem convenções, nem legislações fabris que importam; é algo inútil, repentino, violento; algo que custa uma vida; vermelho, azul, roxo; um espírito; um respingo; como aqueles jacintos (ela estava passando por um grande canteiro deles); livre de contaminação, dependência, sujeira da humanidade ou cuidados por seus semelhantes; algo áspero, ridículo, como o meu jacinto, quer dizer, marido, Bonthrop: isso é que é, um barco de brinquedo na Serpentine, êxtase, é o êxtase que importa. Assim, ela falou em voz alta, esperando as carruagens passarem em Stanhope Gate, porque a consequência de não morar com o marido, exceto quando o vento cessa, é falar bobagem em voz alta em Park Lane. Sem dúvida, teria sido diferente se tivesse vivido o ano todo com ele como a rainha Vitória recomendava. Como era de se esperar, a lembrança dele lhe vinha num relâmpago. Ela achou absolutamente necessário falar com ele imediatamente. Não lhe importava nada que fosse absurdo, ou que mudasse o rumo das coisas. O artigo de Nick Greene a havia mergulhado nas profundezas do desespero; o barco de brinquedo a elevou às alturas da alegria. Então ela repetiu: "Êxtase, êxtase", enquanto esperava para atravessar.

Mas o tráfego estava pesado naquela tarde de primavera e a manteve de pé ali, repetindo, êxtase, êxtase, ou um barco de brinquedo na Serpentine, enquanto a riqueza e o poder da Inglaterra estavam, como se tivessem sido esculpidos, em chapéu e capa, em carruagem de quatro cavalos, vitória e landau. Era como se um rio dourado tivesse coagulado e fixado em blocos dourados através da Park Lane. As senhoras seguravam caixas de cartões entre os dedos; os cavalheiros equilibravam bengalas com castão de ouro entre os joelhos. Ela ficou ali olhando, admirando, pasma. Apenas um pensamento a perturbava, pensamento familiar a todos que contemplam grandes elefantes, ou baleias de uma incrível magnitude: como esses leviatãs a quem, obviamente, estresse, mudança e atividade são repugnantes propagam sua espécie? Talvez, pensou Orlando, olhando para os imponentes rostos imóveis, seu tempo de propagação tenha terminado; isto é o fruto; isto é a consumação. O que ela via agora era o triunfo de uma era. Corpulentos e esplêndidos ali estavam. Mas então o policial baixou a mão; o fluxo tornou-se líquido; o imenso conglomerado de objetos esplêndidos se pôs em movimento, dispersou-se e desapareceu em Piccadilly.

Então ela cruzou a Park Lane e foi para sua casa na Curzon Street, onde, quando soprava o doce ar do campo, ela se lembrava do chamado do maçarico e de um homem muito velho com uma arma.

Ela ainda se lembrava, pensou, ao pisar na soleira de sua casa, o que lorde Chesterfield tinha dito... mas aí se deteve sua memória. Seu discreto salão do século XVIII, onde ainda podia ver lorde Chesterfield colocando o chapéu aqui, o casaco ali, com uma elegância que era um prazer assistir, agora estava completamente tomado por pacotes. Enquanto estava sentada em Hyde Park, o livreiro entregara seu pedido, e a casa estava lotada; havia pacotes escorregando escada abaixo, com toda a literatura vitoriana impressa em papel cinza, cuidadosamente amarrados com barbante. Ela carregou para seu quarto o máximo de pacotes que conseguiu, ordenou aos criados que trouxessem os outros, cortou depressa inúmeros barbantes e logo se viu cercada por inúmeros volumes.

Acostumada às pequenas publicações dos séculos XVI, XVII e XVIII, Orlando ficou chocada com as consequências de sua encomenda. Pois, é claro, para os vitorianos, a literatura vitoriana significava não apenas quatro grandes nomes separados e distintos, mas quatro grandes nomes gravados e entalhados em uma massa de Alexander Smiths, Dixons, Blacks, Milmans, Buckles, Taines, Paynes, Tuppers, Jamesons; todos exigentes, clamorosos, proeminentes, exigindo tanta atenção quanto qualquer outra pessoa. A reverência de Orlando pela imprensa tinha pela frente uma tarefa difícil, mas ela puxou a cadeira até a janela para obter o benefício de que toda luz pudesse se infiltrar entre as casas altas de Mayfair, e tentou chegar a uma conclusão.

Então ficou claro que existem apenas duas maneiras de chegar a uma conclusão sobre a literatura vitoriana: uma é escrevê-la em sessenta volumes in-oitavo, a outra é esprêmê-la em seis linhas do tamanho desta. Dessas duas possibilidades, a economia, já que o tempo escasseia, nos leva a escolher a segunda; e assim prosseguimos. Orlando então chegou à conclusão (depois de abrir meia dúzia de livros) de que era muito estranho que não houvesse nem uma única dedicatória a um nobre entre eles; em seguida (virando uma vasta pilha de memórias), que a árvore genealógica de vários desses escritores tivesse a metade do tamanho da dela; depois, que seria descortês ao extremo embrulhar uma nota de dez libras em torno da pinça de açúcar quando a srta. Christina Rossetti viesse para o chá; depois (havia ali meia dúzia de convites para jantares comemorativos de centenários), que a literatura que comesse todos esses jantares já estaria ficando muito corpulenta; depois (ela era convidada para uma porção de palestras sobre a influência disto sobre aquilo; sobre o renascimento clássico; a sobrevivência romântica, e outros títulos do mesmo tipo envolvente), que a literatura, ouvindo todas essas palestras, devia estar ficando muito seca; depois (aí ela participou de uma recepção dada por uma colega), que a literatura, uma vez que usava todas aquelas estolas de pele, devia estar ficando muito respeitável; depois (aí ela visitou a sala à prova de som de Carlyle em Chelsea), que a genialidade, se precisava de todos esses cuidados, devia estar ficando muito delicada; e então, finalmente, ela chegou à sua conclusão final, que foi da maior importância, mas que, como já ultrapassamos muito nosso limite de seis linhas, devemos omitir.

Depois de chegar a essa conclusão, Orlando ficou um longo tempo olhando pela janela. Porque, quando alguém chega a uma conclusão, é como se tivesse jogado a bola por cima da rede e tivesse que esperar o antagonista invisível devolvê-la. Ela se perguntou o que seria enviado a ela em seguida daquele céu incolor acima de Chesterfield House. E, com as mãos entrelaçadas, ficou um longo tempo pensando. De repente, ela se sobressaltou; e aqui só poderíamos desejar que, assim como em uma ocasião anterior, Pureza, Castidade e Modéstia entreabrissem a porta e fornecessem, ao menos, um espaço livre em que poderíamos pensar como desenvolver com delicadeza o que agora precisa ser dito, como é dever de um biógrafo. Mas não! Depois de jogar suas vestes brancas sobre Orlando nua e visto que ficaram vários centímetros curtas demais, essas três senhoras desistiram de qualquer relacionamento com ela durante todos esses anos; e agora estavam envolvidas em outra coisa. Então, não acontecerá nada nessa manhã pálida de março para mitigar, velar, cobrir, ocultar, amortalhar este evento inegável, seja ele qual for? Porque, depois daquele sobressalto repentino e violento, Orlando... mas Deus seja louvado, nesse exato momento, soou do lado de fora de um desses frágeis, agudos, maviosos, espasmódicos e antiquados realejos, que às vezes ainda são operados por tocadores italianos em ruas secundárias. Vamos aceitar a intervenção, por humilde que seja, como se fosse a música das esferas, e permitir que, com todos os seus suspiros e gemidos, preencha esta página com som até chegar o momento em que é impossível negar sua chegada; que o criado viu e a criada também; e o leitor também terá que ver; porque a própria Orlando é claramente incapaz de ignorar por mais tempo; deixe o som do realejo nos transportar em pensamento, que não é mais do que um pequeno barco sacudindo nas ondas, quando a música soa; no pensamento, que é, de todos os portadores, o mais desajeitado, o mais irregular, nos telhados e nos quintais, onde a roupa lavada é pendurada para... que lugar é esse? Você reconhece o parque, no meio, o campanário e o portão com um leão deitado de cada lado? Ah, sim, é Kew! Bem, Kew servirá. Então, aqui estamos em Kew, e vou lhe mostrar hoje (2 de março), debaixo da ameixeira, um jacinto-uva, um açafrão, e também um botão na amendoeira; portanto, andar por ali é pensar em bulbos, pilosos e vermelhos, fincados na terra em outubro; florescendo agora; e sonhar mais do que se pode dizer, é tirar um cigarro da cigarreira ou mesmo um charuto, é se jogar uma capa (como exige a rima) debaixo de um carvalho, e lá sentar, esperando o martim-pescador, que, dizem, foi visto certa vez atravessar à noitinha de margem a margem.

Esperar! Esperar! O martim-pescador vem; o martim-pescador não vem.

Contemplar, nesse meio-tempo, as chaminés das fábricas e sua fumaça; contemplar os pequenos funcionários da cidade que passam com seus barquinhos. Contemplar a velha senhora que leva o cachorro para passear e a empregada que usa seu chapéu novo pela primeira vez não no ângulo certo. Contemplar todos eles. Embora o céu tenha misericordiosamente decretado que os segredos de todos os corações estão ocultos para que sejamos levados para sempre a suspeitar de algo que talvez não exista; mas, através da fumaça de nosso cigarro, vemos brilhar e saudamos a esplêndida realização de desejos naturais por um chapéu, por um barco, por um rato no fosso; como uma vez se viu resplandecer... esses tolos saltos e deslizadas da mente quando cai assim em cima do pires e o realejo toca... viu resplandecer uma grande fogueira em um campo com minaretes ao fundo, perto de Constantinopla. Salve, desejo natural! Salve, felicidade! Divina felicidade! E prazer de todo tipo, flores e vinho, embora umas murchem e o outro intoxique; bilhetes de meia coroa para fora de Londres aos domingos, cantar numa capela escura hinos sobre a morte, e qualquer coisa, qualquer coisa que interrompa e confunda o teclar de máquinas de escrever, arquivamento de cartas e forjar de elos e correntes que mantêm o Império coeso. Salve até mesmo os laços toscos e vermelhos nos lábios das balconistas (como se Cupido, muito desajeitado, tivesse mergulhado o dedo em tinta vermelha e rabiscado um sinal ao passar). Salve, felicidade! Martim-pescador que voa de margem a margem, e toda a satisfação do desejo natural, quer seja o que o romancista homem diz ser; ou oração; ou negação; salve! em qualquer forma que venha e que possa haver muitas formas, e estranhas. Porque sombrio corre o rio... se fosse verdade, como insinua a rima "como um sonho"... porém mais insípido e pior que isso é o que nos cabe naturalmente; sem sonhos, mas vivos, contentes, fluentes, costumeiros, debaixo de árvores cuja sombra verde-oliva afoga o azul da asa do pássaro que desaparece ao voar de repente de margem a margem.

 Salve, felicidade, então, e depois da felicidade, salve não aqueles sonhos que borram a imagem nítida como espelhos manchados fazem com o rosto no salão de uma hospedaria no campo, sonhos que lascam o todo, nos dividem, nos ferem, nos despedaçam na noite quando queremos dormir; mas o sono, o sono, tão profundo que todas as formas são solos e areia de infinita maciez, água de inescrutável turbidez e ali, dobrados, enfaixados, como uma múmia, como uma mariposa, fiquemos deitados na areia no fundo do sono.

 Mas espere! Mas espere! Não vamos, desta vez, visitar a terra cega. Azul, como um fósforo riscado bem no fundo do globo ocular, ele voa, queima, rompe o selo do sono; o martim-pescador; de modo que agora inundações refluem como uma maré, o espesso, vermelho fluxo da vida novamente; borbulhando, pingando; e nós

nos levantamos, e nossos olhos (pois como é útil uma rima para nos passar em segurança pela estranha transição da morte para a vida) pousam... (aqui o realejo para de tocar abruptamente).
— É um lindo menino, milady — disse a sra. Banting, a parteira, e colocou nos braços de Orlando seu filho primogênito. Em outras palavras, Orlando deu à luz um filho com segurança na quinta--feira, dia 20 de março, às três horas da manhã.

Mais uma vez, Orlando se pôs à janela, mas que o leitor tome coragem; nada do mesmo tipo vai acontecer hoje, que não é, de modo algum, o mesmo dia. Não; porque, se olharmos pela janela, como Orlando está fazendo no momento, veremos que a própria Park Lane mudou consideravelmente. Na verdade, pode-se ficar ali dez minutos ou mais, como Orlando está agora, sem ver uma única carruagem landau. — Olhe só para isso! — exclamou ela, alguns dias depois, quando uma absurda carruagem truncada, sem nenhum cavalo, começou a rodar por conta própria. Uma carruagem sem nenhum cavalo, de fato! Assim que disse isso, alguém a chamou, mas voltou depois de um tempo e deu outra olhada pela janela. O tempo andava estranho. O próprio céu, ela não podia deixar de pensar, tinha mudado. Já não era tão espesso, tão aquoso, tão prismático agora que o rei Edward (veja, lá está ele, saindo de sua linda carruagem para visitar uma certa senhora do lado oposto) sucedera a rainha Vitória. As nuvens tinham se reduzido a uma fina gaze; o céu parecia feito de metal, que no clima quente manchava-se de verdete, cor de cobre ou alaranjado como metal numa névoa. Era um pouco alarmante, esse encolhimento. Tudo parecia ter encolhido. Ao passar diante do palácio de Buckingham na noite anterior, não havia nem vestígio daquela vasta construção que ela julgara eterna; cartolas, ervas daninhas, trombetas, telescópios, coroas, tudo havia desaparecido e sem deixar nem uma mancha, nem mesmo uma poça, na calçada. Mas agora, depois de outro intervalo, ela voltou a seu posto favorito à janela, agora, à noite, é que a mudança ficava mais notável. Olhe as luzes nas casas! Com um toque, uma sala inteira se iluminava; centenas de quartos iluminados; e um era exatamente igual ao outro. Podia-se ver tudo nas caixinhas quadradas; não havia privacidade; nenhuma daquelas sombras persistentes e cantos estranhos que costumava haver;

nenhuma daquelas mulheres com aventais carregando lampiões vacilantes que punham cuidadosamente nesta mesa ou naquela mesa. Um toque e toda a sala estava clara. E o céu brilhava a noite toda; as calçadas brilhavam; era tudo claro. Ela voltou ao meio-dia. Como as mulheres tinham ficado esguias ultimamente! Pareciam caules de milho, retos, brilhantes, idênticos. E os rostos dos homens tão nus quanto a palma da mão. A secura da atmosfera trazia cor a tudo e parecia enrijecer os músculos das faces. Era mais difícil chorar agora. A água esquentava em dois segundos. A hera morrera ou fora arrancada das casas. Os vegetais eram menos férteis; as famílias eram muito menores. Tinham eliminado cortinas e tapeçarias e as paredes estavam nuas, de modo que quadros novos muito coloridos, de coisas reais, como ruas, guarda-chuvas, maçãs, eram emoldurados ou pintados na madeira. Havia algo definido e nítido sobre a época, que a lembrava do século XVIII, só que havia uma distração, um desespero... enquanto ela pensava nisso, o túnel imensamente longo em que parecia ter viajado por centenas de anos se alargou; a luz entrou; seus pensamentos ficaram misteriosamente tensos e apertados como se um afinador de piano tivesse colocado a chave em suas costas e esticado muito os nervos; ao mesmo tempo, sua audição acelerou; ela podia ouvir cada sussurro e crepitação da sala de forma que o relógio no aparador da lareira batia como um martelo. E então, por alguns segundos, a luz acendeu, ficou mais e mais brilhante, ela via tudo mais e mais claramente e o relógio tiquetaqueava cada vez mais e mais alto até que houve uma fantástica explosão bem em seu ouvido. Orlando deu um salto como se tivessem batido violentamente em sua cabeça. Dez vezes. De fato eram dez da manhã. O dia era 11 de outubro. Era 1928. Era o momento presente.

 Ninguém se surpreenda de Orlando ter se sobressaltado, posto a mão no coração e ficado pálida. Pois que revelação pode ser mais aterrorizante do que constatar que este é o momento presente? O fato de sobrevivermos ao choque só é possível porque o passado nos protege de um lado e o futuro de outro. Mas agora não temos tempo para reflexões; Orlando já estava terrivelmente atrasada. Desceu correndo a escada, pulou para seu carro, apertou o botão de partida automática e partiu. Vastas construções azuis se ergueram no ar; os capuzes vermelhos das chaminés marcavam o céu irregularmente; a rua brilhava como pregos com cabeça de prata; ônibus corriam sobre ela com motoristas de rosto branco, esculpido; ela notou esponjas, gaiolas para pássaros, caixas de pano verde americano. Mas não permitiu que essas imagens penetrassem em sua mente nem mesmo por uma fração de centímetro, enquanto cruzava a prancha estreita do presente, para não cair na fúria da torrente abaixo. – Por que não olha para onde vai?... Dê sinal com a mão, por favor? – era tudo o que dizia, como se as palavras fossem arrancadas dela. Porque as ruas estavam superlotadas; pessoas atravessavam sem olhar para onde iam. Havia um rumor, um zumbido de gente em torno das vitrines de vidro blindado, dentro das quais se via um brilho vermelho, uma labareda amarela, como se fossem abelhas, Orlando pensou, mas a ideia de que eram abelhas foi violentamente cortada e ela viu, ao recuperar a perspectiva com um movimento dos olhos, que eram corpos. – Por que não olha para onde vai? – estrilou.

Mas acabou chegando à Marshall & Snelgrove e entrou na loja. Foi envolvida por sombra e perfume. O presente caiu dela como gotas de água escaldante. A luz oscilava para cima e para baixo como tecidos finos enfunados por uma brisa de verão. Ela pegou uma lista da bolsa e começou a ler com voz rígida no início, como se estivesse segurando as palavras: botas de menino, sais de banho, sardinhas, debaixo de uma torneira de água multicolorida. Olhou enquanto iam mudando com a luz que caía sobre elas. Banho e botas ficaram contundentes, obtusas; sardinhas, serrilhadas como uma serra. Parada no departamento térreo dos srs. Marshall & Snelgrove, ela olhou para um lado e outro; sentiu este e aquele cheiro; e assim gastou alguns segundos. Então, entrou no elevador, pelo bom motivo de que a porta estava aberta; e foi levada suavemente para cima. O próprio tecido da vida agora, ela pensou enquanto subia, é mágico. No século XVIII, sabíamos como tudo era feito; mas aqui eu subo pelo ar; escuto vozes da América; vejo homens voando; mas como isso é feito, não sei nem como começar a me perguntar. Então volto a acreditar em mágica. O elevador deu um pequeno tranco ao parar no primeiro andar; e ela teve uma visão de inúmeros tecidos coloridos oscilando numa brisa na qual vinham cheiros distintos e estranhos; e cada vez que o elevador parava e abria as portas, havia outra fatia do mundo exibida com todos os cheiros desse mundo nela impregnados. Ela se lembrou do rio Wapping no tempo de Elizabeth, onde os navios do tesouro e os navios mercantes costumavam ancorar. Como eram ricos e peculiares os cheiros todos! Ela se lembrava bem da sensação dos rubis brutos correndo entre os dedos quando os mergulhava num saco de tesouro! E então deitar com a Sukey, ou qualquer que fosse o seu nome, e a lanterna dos Cumberland os surpreender! Os Cumberland tinham uma casa em Portland Place agora. Ela havia almoçado com eles outro dia e arriscou uma piadinha com o velho sobre os asilos da Sheen Road. Ele deu uma piscada. Mas aqui, como o elevador não podia subir mais, ela teve de sair, Deus sabe em que "departamento", como chamavam. Ficou parada para consultar a lista de compras, mas seria uma bênção se conseguisse ver em algum lugar, como a lista pedia, sais de banho ou botas de menino. E, realmente, estava prestes a descer de novo, sem comprar nada, quando foi salva desse ultraje, ao falar mecanicamente em voz alta o último item da lista; que era "lençóis para cama de casal".

– Lençóis para cama de casal – ela disse a um homem num balcão e, por um ato da Providência, eram lençóis que o homem naquele balcão específico vendia. Porque Grimsditch, não, Grimsditch estava morta; Bartholomew, não, Bartholomew estava morta; Louise, então, Louise tinha vindo a ela com um grande acontecimento outro dia, pois achara um buraco na parte de baixo do lençol na cama real. Muitos reis e rainhas tinham dormido ali: Elizabeth; James; Charles; George; Victoria; Edward; não era de admirar que o lençol tivesse um buraco. Mas Louise tinha certeza de que sabia quem tinha feito aquilo. Fora o Príncipe Consorte.

– Porco boche! – disse ela (pois havia outra guerra; dessa vez contra os alemães).

– Lençóis para cama de casal – repetiu Orlando, sonhadora, para uma cama de casal com cabeceira de prata numa sala mobiliada com um gosto que ela agora achava meio vulgar, tudo em prata; mas mobiliara quando tinha paixão por esse metal. Enquanto o homem ia buscar lençóis para cama de casal, ela tirou um espelhinho e uma esponja de pó. As mulheres não eram tão indiretas em seus modos, pensou ela, empoando-se muito despreocupada, como tinham sido quando ela mesma tinha virado mulher e se deitara no convés do *Enamoured Lady*. Decidida, deu ao nariz a tonalidade certa. Nunca tocava as faces. Sinceramente, embora ela agora tivesse 36 anos, mal parecia um dia mais velha. Parecia tão amuada, mal-humorada, tão bonita, tão rosada (como uma árvore de Natal de um milhão de velas, Sasha havia dito), como naquele dia no gelo, quando o Tâmisa estava congelado e eles saíram para patinar... – O melhor linho irlandês, senhora – disse o vendedor, estendendo os lençóis no balcão,... e os dois encontraram uma velha catando gravetos. Aí, quando ela tocava o linho, distraída, uma das portas de vaivém entre os departamentos se abriu e deixou passar, talvez do departamento de artigos de luxo, um aroma de perfume, ceroso, colorido, como de velas rosadas, e o aroma se curvava como uma concha em torno de uma figura (era um rapaz ou uma moça?) jovem, esguia, sedutora. Uma moça, por Deus!, com peles e pérolas, com calça russa; mas infiel, infiel!

– Infiel! – exclamou Orlando (o homem tinha sumido) e a loja toda parecia jogar e oscilar em água amarela; ao longe ela viu os mastros do navio russo saindo para o mar, e então, milagrosamente (talvez a porta tenha se aberto novamente), a concha feita pelo perfume transformou-se numa plataforma, um estrado, de onde saiu uma mulher gorda, vestida com peles, maravilhosamente bem conservada, sedutora, com um diadema, amante de um grão-duque; ela que, inclinando-se sobre as margens do Volga, comendo sanduíches, tinha visto homens se afogarem; e começou a avançar pela loja em sua direção.

– Ah, Sasha! – exclamou Orlando. Realmente, ela ficou chocada por ter chegado a isso; ela ficara tão gorda; tão letárgica; então baixou a cabeça sobre o lençol para que essas aparições de uma mulher grisalha com peles, e uma moça com calça russa, com todos esses cheiros de velas de cera, de flores brancas e navios antigos que traziam com elas, pudessem passar por trás dela, sem serem vistas.

– Guardanapos, toalhas, panos de pó hoje, senhora? – o vendedor persistiu. E foi imensamente graças à lista de compras que Orlando, agora consultada, foi capaz de responder com toda a aparência de compostura que só havia uma coisa no mundo que ela queria, e era sais de banho; que ficavam em outro departamento.

Mas, ao descer de elevador outra vez, tão insidiosa é a repetição de qualquer cena, ela se viu outra vez mergulhar muito abaixo do momento presente; e, quando o elevador bateu no chão, ela pensou ter ouvido um pote quebrar contra a margem do rio. Quanto a encontrar o departamento certo, fosse qual fosse, ela se distraiu entre as bolsas, surda às sugestões de todos os atendentes de loja educados, negros, penteados e alegres, que desciam igualmente, alguns deles, talvez, com muito orgulho, também de tais profundezas do passado como ela, escolheu baixar a tela impenetrável do presente de modo que hoje eles pareciam apenas vendedores de loja em Marshall & Snelgrove. Orlando hesitou. Através das grande portas de vidro, dava para ver o tráfego na Oxford Street. Parecia que ônibus se empilhavam sobre ônibus e depois se separavam. Também assim os blocos de gelo tinham jogado e oscilado aquele dia no Tâmisa. Um velho nobre, com chinelos de pele, montado em um deles. Lá foi ele, ela o via agora mesmo, invocando maldições sobre os rebeldes irlandeses. E tinha afundado lá, onde estava o seu carro.

"O tempo passou em cima de mim", pensou ela, tentando se recompor, "é a chegada da meia-idade. Que estranho! Nada é mais uma coisa só. Pego uma bolsa e penso numa velha vendedora congelada. Alguém acende uma vela rosa e eu vejo uma moça de calça russa. Quando saio, como faço agora", e ela então pisou na calçada da Oxford Street, "que gosto é esse que eu sinto? De pequenas ervas. Escuto sinos de cabra. Vejo montanhas. Turquia? Índia? Pérsia?". Seus olhos se encheram de lágrimas.

Talvez pareça ao leitor, que a vê agora se preparando para entrar em seu automóvel com os olhos cheios de lágrimas e visões de montanhas persas, que Orlando se afastou um pouco demais do momento presente. E, de fato, não se pode negar que os praticantes mais bem-sucedidos da arte da vida, muitas vezes pessoas desconhecidas, de alguma forma conseguem sincronizar os sessenta ou setenta tempos diferentes que batem simultaneamente em cada sistema humano normal, de modo que, quando soam os onze toques, todo o resto soa em uníssono, e o presente não é nem uma violenta perturbação, nem completamente esquecido no passado. Deles, podemos com justiça dizer que vivem exatamente os sessenta e oito ou setenta e dois anos a eles atribuídos na lápide. Quanto ao restante, sabemos que alguns estão mortos, embora andem entre nós; alguns ainda não nasceram, embora passem pelas formas de vida; outros têm centenas de anos, embora digam ter trinta e seis. A verdadeira duração da vida de uma pessoa, seja lá o que diga o *Dicionário de Biografia Nacional*, é sempre uma questão discutível. Porque é uma tarefa difícil, a contagem do tempo; nada a confunde mais depressa do que o contato com qualquer uma das artes; e pode ter sido por culpa de seu amor pela poesia que Orlando perdeu a lista de compras e partiu para casa sem sardinhas, sais de banho ou botas. Agora, enquanto estava com a mão na porta do automóvel, o presente bateu de novo em sua cabeça. Ela foi violentamente agredida onze vezes.

– Dane-se tudo! – exclamou ela, porque é um grande choque para o sistema nervoso ouvir o relógio soar, tanto é que, durante algum tempo, não há nada a ser dito sobre ela, exceto que franziu a testa ligeiramente, foi mudando as marchas admiravelmente e gritava, como antes: – Olhe para onde vai! Não sabe o que quer? Por que não fala logo então? – enquanto o carro avançava, virava, se esgueirava, deslizava, porque ela era uma motorista experiente seguindo pela Regent Street, Haymarket, Northumberland Avenue, Westminster Bridge, à esquerda, em frente, à direita, em frente de novo...

A Old Kent Road estava muito cheia na quinta-feira, 11 de outubro de 1928. A calçada cuspia gente. Havia mulheres com sacolas de compras. Crianças correndo. Liquidações em lojas de tecidos. Ruas se alargavam e estreitavam. Longas perspectivas diminuíam constantemente. Aqui um mercado. Ali um funeral. Ali uma passeata com faixas nas quais se lia "Ra – Un" e o que mais? A carne muito vermelha. Os açougueiros parados na porta. Mulheres com os saltos quase cortados. Amor Vin, escrito sobre uma varanda. Uma mulher olhava pela janela do quarto, profundamente contemplativa, imóvel. Applejohn e Applebed,

Funerár... Não dava para ver nada completo, nem se lia de começo a fim. O que se via começar, como dois amigos começando a se encontrar do outro lado da rua, não se via terminar. Depois de vinte minutos, o corpo e a mente eram como pedaços de papel rasgado que caem de um saco e, de fato, o processo de sair rapidamente de Londres num carro parecia muito a fragmentação da identidade que precede a inconsciência e talvez a própria morte, que é uma questão em aberto em qual sentido se podia dizer que Orlando existia no momento presente. Na verdade, devíamos tomá-la por uma pessoa totalmente dissociada, não fosse que aqui, finalmente, uma tela verde se estendesse à direita, contra a qual os pedacinhos de papel caíam mais devagar; e depois outra se estendia à esquerda, de forma que se podia ver os papeizinhos agora girando sozinhos no ar; depois, com as telas verdes contínuas de ambos os lados, sua mente recuperou a ilusão de manter as coisas dentro de si e ela viu um chalé, um curral e quatro vacas, tudo precisamente em tamanho natural.

    Quando isso aconteceu, Orlando deu um suspiro de alívio, acendeu um cigarro e fumou um ou dois minutos em silêncio. Depois chamou, hesitante, como se a pessoa que queria pudesse não estar ali: – Orlando? – Porque, se existem (porventura) setenta e seis tempos diferentes pulsando na mente ao mesmo tempo, quantas pessoas diferentes não existirão, Deus nos acuda, todas alojadas num momento ou outro dentro do espírito humano? Alguns dizem duas mil e cinquenta e duas. Então, é a coisa mais comum do mundo a pessoa chamar, quando está sozinha, Orlando? (se é esse seu nome) querendo dizer com isso: Venha, venha! Estou absolutamente farta deste eu. Quero outro. Daí, as mudanças inacreditáveis que vemos em nossos amigos. Mas não é totalmente garantido também porque, se a pessoa diz, como Orlando disse (no campo e talvez precisando de outro eu) Orlando?, quem sabe a Orlando de que ela precise não venha; esses eus que nos constituem, um em cima do outro, como pratos empilhados na mão do garçom, têm outras conexões, simpatias, pequenas constituições e direitos próprios, chame como quiser (e não há nome para muitas dessas coisas), de forma que algum só vem se estiver chovendo, outro numa sala com cortinas verdes, outro quando a sra. Jones não está, outro se você prometer um copo de vinho, e assim por diante; porque todo mundo pode multiplicar a partir de sua própria experiência os diferentes termos que seus diferentes eus estabeleceram consigo, e alguns tão loucamente ridículos que não merecem menção por escrito.

Então Orlando, na curva do celeiro, chamou "Orlando?", com uma nota interrogativa na voz, e esperou. Orlando não veio.

– Então tudo bem – Orlando disse com o bom humor que as pessoas praticam nessas ocasiões; e tentou outro. Porque ela possuía uma grande variedade de eus que podia invocar, muitos mais do que os que conseguimos colocar aqui, uma vez que uma biografia é considerada completa se dá conta de seis ou sete eus, quando uma pessoa pode muito bem ter muitos milhares. Ao escolher, portanto, apenas aqueles eus para os quais encontramos espaço, Orlando pode agora ter chamado aquele menino que cortou a cabeça do negro; o menino que a pendurou de novo; o rapaz que sentava na colina; o rapaz que viu o poeta, o rapaz que ofereceu à rainha a tigela de água de rosas; ou pode ter chamado aquele jovem que se apaixonou por Sasha; ou o cortesão; ou o embaixador; ou o soldado, ou o viajante; pode ter querido a mulher que lhe veio; a cigana; a bela lady; a heremita; a moça apaixonada pela vida; a patronesse das letras; a mulher que chamava Mar (que se refere a banhos quentes e fogos noturnos) ou Shelmerdine (que se refere a açafrão de outono) ou Bonthrop (que se refere à morte que morremos diariamente) ou os três juntos, o que significa mais coisas do que o espaço que temos para escrever, todos diferentes, e ela pode ter chamado qualquer um deles.

Talvez; mas o que parece certo (porque agora estamos no território dos "talvez" e dos "parece") é que aquele que ela mais precisava manteve-se à distância, porque ela estava, se lhe dermos ouvidos, mudando de eus tão depressa como dirigia, havia um a cada esquina, como ocorre quando, por alguma razão inexplicável, o eu consciente, que é predominante e tem poder de decisão, deseja nada mais que ser um só. Esse é o que algumas pessoas chamam de eu verdadeiro, e ele é, dizem, uma condensação de todos os eus que temos em nós; comandados e trancados pelo eu capitão, o eu chave, que amalgama e controla todos eles.

Orlando com certeza estava buscando esse eu como o leitor pode julgar ao ouvi-la falar enquanto dirigia (e se é fala solta, desconexa, trivial, tola e às vezes ininteligível, o problema é do leitor por ouvir uma lady falar consigo mesma; nós apenas copiamos suas palavras como ela as diz, e acrescentamos entre colchetes qual é o eu que fala, em nossa opinião, mas nisso podemos estar errados).
– O que então? Quem então? – disse ela. – Trinta e seis anos; uma mulher; num automóvel. É, mas um milhão de outras coisas também. Sou esnobe? A jarreteira no salão? Os leopardos? Meus ancestrais? Orgulho deles? É, sim! Glutona, luxuriosa, viciosa? Eu sou? (aqui entrou um novo eu). Pouco me importa se sou. Sincera? Acho que sim. Generosa? Ah, mas isso não conta (aqui entrou um novo eu). Ficar deitada na cama de manhã ouvindo os pombos entre lençóis bons; pratos de prata; vinho; criadas; criados. Mimada? Talvez. Coisas demais em troca de nada. Daí os meus livros (e ela mencionou cinquenta títulos clássicos; que representam, acreditamos, as primeiras obras românticas que ela rasgou). Fáceis, superficiais, românticos. Mas (aqui entrou outro eu) um medíocre, desastrado. Mais canhestro eu não poderia ser. E... e... (aqui ela hesitou em busca de uma palavra e, se sugerirmos "amor", podemos estar errados, mas ela decerto riu, ruborizou e exclamou: – Uma rã engastada com esmeraldas! Harry, o arquiduque! Varejeiras azuis no teto! (aqui entrou um novo eu) Mas Nell, Kit, Sasha? (ela mergulhou em melancolia: lágrimas tomaram forma e ela havia há muito desistido de chorar). Árvores, ela disse (aqui entrou um novo eu). Adoro árvores (estava passando por um bosque) que ali crescem durante mil anos. E celeiros (passou por um celeiro em ruínas à beira da estrada). E cães pastores (aqui um deles atravessou correndo a estrada. Com cuidado, ela desviou). E a noite. Mas as pessoas (aqui entrou outro eu). Pessoas? (ela repetiu como uma pergunta). Não sei. Tagarelas, desdenhosos, sempre contando mentiras. (Aqui ela virou na High Street de sua cidade natal, que estava cheia, porque era dia de feira, com camponeses, pastores e velhas com cestos de galinhas.) Eu gosto de camponeses. Entendo de colheitas. Mas (aqui outro eu saltou do alto de sua cabeça como o facho de um farol).

Fama! (ela riu) Fama! Sete edições. Um prêmio. Fotografias nos jornais vespertinos (aqui ela aludiu a *O carvalho* e ao prêmio Memorial Burdett Coutts que havia ganhado; e temos de roubar espaço para observar o quanto é desanimador para seu biógrafo que essa culminação, para a qual todo o livro se dirigia, nos seja arrebatada numa risada casual como esta; mas a verdade é que, quando escrevemos sobre uma mulher, tudo se encontra fora de lugar: culminações e perorações; a tônica nunca cai no mesmo lugar que com um homem). Fama!, repetiu ela. Um poeta... um charlatão; ambos toda manhã, tão regulares como o carteiro. Comer, se reunir; se reunir, comer; fama... fama! (Teve de reduzir a marcha para passar pela multidão do mercado. Mas ninguém a notou. Uma toninha na barraca do peixeiro atraía muito mais atenção que uma lady que tinha ganhado um prêmio e que podia, se quisesse, usar três diademas na cabeça, um em cima do outro). Dirigindo muito devagar, ela cantarolou como se fizesse parte de alguma velha canção – Com meus guinéus comprarei árvores floridas, floridas, floridas, e entre as árvores floridas, contarei aos filhos meus, como a fama é dolorida. – Assim cantarolou, e então todas as suas palavras começaram a ceder aqui e ali, como um bárbaro colar de contas pesadas. – E entre as árvores floridas – ela cantou, acentuando muito as palavras – verei a lua subir, verei carroças partirem... – Calou-se e olhou intensamente para o capô do carro, em profunda meditação.

"Sentado à mesa de Twitchett", divagou ela, "com a gola suja... Seria o velho sr. Baker que veio medir a madeira? Ou era Sh...p... re? (Porque, quando falamos nomes que muito reverenciamos, nunca os falamos inteiros.) Durante dez minutos ficou olhando à frente, deixou o carro quase parar.

– Assombrada! – exclamou, e pisou de repente no acelerador. – Assombrada! desde criança. Lá vai o ganso selvagem. Passa voando pela janela na direção do mar. Me ponho de pé num salto (ela agarrou com mais força a direção) e me lanço atrás dele. Mas o ganso voa depressa demais. Eu vi, aqui... ali... ali... na Inglaterra, na Pérsia, na Itália. Voa sempre para o mar e eu sempre lanço atrás dele palavras como redes (aqui ela estendeu a mão) que murcham como vi redes murcharem quando puxadas para bordo cheias apenas de algas; e às vezes há dois centímetros de prata, seis palavras, no fundo da rede. Mas nunca um peixe grande que vive nas cavernas de coral. – Aqui ela inclinou a cabeça, ponderando profundamente.

E foi nesse momento, quando ela parou de chamar "Orlando" e estava mergulhada em alguma outra ideia, que o Orlando que ela vinha chamando veio por vontade própria; como ficou provado pela mudança que ocorreu com ela ao atravessar o portão e entrar no parque.

Todo seu ser escureceu e assentou, como uma superfície que, folheada, ganha forma e solidez, e o raso fica profundo e o próximo distante; e tudo fica contido, como a água é contida pelas paredes do poço. Então ela agora está escurecida, serenada, e se tornou, com a soma desse Orlando, o que se chama, com ou sem razão, certo ou errado, um só ser, um eu real. E ela silenciou. Porque é provável que, quando as pessoas falam em voz alta, os eus (dos quais pode haver mais de dois mil) tomam consciência do que perderam e tentam se comunicar, mas, quando a comunicação se estabelece, se calam.

Hábil, rápida, ela rodou pelo caminho em curva entre os olmos e carvalhos sobre o gramado em declive do parque, cuja inclinação era tão suave que, se fosse água, se espalharia sobre a praia como uma lisa maré verde. Ali plantados em grupos solenes, havia faias e carvalhos. Os gamos passaram entre elas, um branco como neve, o outro com a cabeça inclinada de lado, porque alguma rede havia enganchado em sua galhada. Tudo isso, as árvores, os gamos, o gramado, ela observou com a maior satisfação porque sua mente havia se transformado em um líquido que fluía em torno das coisas e as envolvia totalmente. No minuto seguinte, ela se viu no pátio onde durante tantas centenas de anos havia entrado, a cavalo, de carruagem com três parelhas, com homens cavalgando à frente ou atrás; onde plumas tinham ondulado, tochas brilhado e as mesmas árvores floridas que derrubavam suas folhas agora tinham se sacudido em botões. Agora, ela estava sozinha. As folhas de outono caíam. O porteiro abriu os portões grandes.

– Bom dia, James – saudou ela –, tem umas coisas no carro. Você leva para dentro para mim? – Palavras sem beleza, interesse ou significação em si mesmas, concordamos, mas agora tão cheias de sentido que caíram como nozes maduras de uma árvore e provaram que, quando a pele enrugada do comum se enche de significado, é imensa a satisfação dos sentidos. Isso era, de fato, verdade a respeito de todo movimento e toda ação, por mais comuns que fossem; de forma que ver Orlando trocar a saia por uma bombacha listrada e jaqueta de couro, o que fez em menos de três minutos, era de deslumbrar pela beleza de movimento, como se madame Lopokova estivesse usando a sua arte maior. Então ela entrou na sala de jantar, onde seus velhos amigos Dryden, Pope, Swift, Addison olharam para ela com reservas, de início, como quem diz: Aí está a premiada!, mas, quando refletiram que o que estava em questão eram duzentos guinéus, sacudiram a cabeça, aprovando. Duzentos guinéus não são de se jogar fora. Ela cortou uma fatia de pão e presunto, juntou os dois e começou a comer, andando de um lado para outro da sala, abandonando, assim, as boas maneiras em um segundo, sem pensar. Depois de cinco ou seis voltas, esvaziou um cálice de vinho tinto espanhol, encheu outro que levou na mão, passou pelo longo corredor e diante de uma dúzia de cômodos, começando assim uma perambulação pela casa, seguida pelos elkhounds e spaniels que escolheram segui-la.

Isso tudo fazia parte da rotina diária. Era mais fácil ela sair sem dar um beijo em sua avó do que voltar e não percorrer a casa. Sentia que os quartos se iluminavam quando ela entrava; mexiam-se, abriam os olhos como se estivessem cochilando em sua ausência. Ela achava também que as centenas e milhares de vezes que os tinha visto, eles nunca pareciam os mesmos, como se uma vida como a deles tivesse armazenado neles uma miríade de humores que mudavam com inverno e verão, tempo claro ou escuro, as fortunas dela própria e o caráter das pessoas que os visitavam. Polidos, eram sempre com estranhos, mas um pouco reservados: com ela eram totalmente abertos, à vontade. E por que não? Conheciam-se agora havia já quase quatro séculos. Não tinham nada a esconder. Ela sabia de suas tristezas e alegrias. Sabia a idade de cada parte deles e seus pequenos segredos: uma gaveta escondida, um armário disfarçado, ou talvez alguma deficiência, como uma parte reformada ou acrescentada depois. Eles também a conheciam em todos os seus humores e mudanças. Ela nada escondera deles; viera a eles como homem e como mulher, chorando e dançando, triste ou alegre. Naquele banco à janela, tinha escrito seus primeiros versos; naquela capela, tinha se casado. E seria sepultada ali, refletiu, ajoelhada ao peitoril da janela no longo corredor, bebericando seu vinho espanhol. Embora fosse difícil de imaginar, o corpo do leopardo heráldico faria poças amarelas no chão no dia em que a baixassem para se juntar a seus ancestrais. Ela, que não acreditava na imortalidade, não podia deixar de sentir que sua alma ficaria para sempre indo e vindo com os vermelhos dos painéis e os verdes do sofá. Porque o quarto (tinha entrado no quarto do embaixador) brilhava como uma concha que jaz no fundo do mar durante séculos, incrustada e pintada com um milhão de cores pela água; era rosa e amarela, verde e areia. Era frágil como uma concha, igualmente iridescente e vazia. Nenhum embaixador jamais dormiria ali outra vez. Ah, mas ela sabia onde o coração da casa ainda batia. Abriu a porta delicadamente, parou no batente para que o quarto (fantasiou ela) não a visse e olhou a tapeçaria subir e baixar na eterna brisa suave que nunca deixava de agitá-la. O caçador ainda cavalgava; Dafne ainda fugia. O coração ainda batia, pensou ela, mesmo que fraco, mesmo que recolhido; o frágil coração indômito da imensa casa.

 Então convocou sua matilha de cães e passou pelo corredor cujo piso era feito com carvalhos inteiros cortados longitudinalmente. Muitas poltronas com seus veludos desbotados se enfileiravam contra a parede, braços estendidos para Elizabeth, James, para Shakespeare talvez, para Cecil, que nunca vieram. O que viu a entristecia. Soltou a corda que as isolava. Sentou-se na poltrona da rainha; abriu o livro manuscrito que estava na mesa de lady Betty; agitou com os dedos as envelhecidas folhas de rosa; escovou o cabelo curto com as escovas de prata do rei James; pulou para cima e para baixo na cama dele (mas nenhum rei jamais dormiria ali de novo, apesar de todos os lençóis novos de Louise) e apertou o rosto na cabeceira de prata acima dela.

Mas por toda parte havia saquinhos de lavanda para espantar as traças e avisos impressos: "Por favor, não toque", os quais, embora ela mesma os tivesse colocado, pareciam repreendê-la. A casa não era mais totalmente dela, suspirou; pertencia ao tempo agora; à história; estava além do toque e do controle dos vivos. Nunca mais derramariam cerveja ali, pensou ela (estava no quarto que tinha sido ocupado pelo velho Nick Greene), ou haveria buracos queimados no tapete. Nunca mais duzentos criados viriam correndo e falando alto pelos corredores com aquecedores e grandes ramos para as grandes lareiras. Nunca mais fabricariam cerveja, velas, selas moldadas, pedras cortadas nas oficinas externas da casa. Martelos e marretas estavam silenciosos agora. Poltronas e camas, vazias; jarras de ouro e prata, trancadas em cristaleiras. As grandes asas de silêncio batiam por toda a casa vazia.

    Estava, então, sentada no fim do corredor com os cachorros deitados em torno dela, na poltrona dura da rainha Elizabeth. O corredor se estendia até longe, até um ponto em que quase não havia luz. Era um túnel a penetrar fundo no passado. Ao olhar em volta, via pessoas rindo e conversando; os grandes homens que conhecera; Dryden, Swift e Pope; e estadistas em colóquio; e amantes namorando nos bancos das janelas; pessoas comendo e bebendo nas longas mesas; tossindo e espirrando com a fumaça de lenha a rolar em torno de suas cabeças. Ainda mais além, viu grupos de esplêncidos dançarinos em forma para a quadrilha. Começou a soar uma música flauteada, frágil, mas mesmo assim majestosa. Ressoou um órgão. Levaram um esquife para dentro da capela. Um cortejo matrimonial saiu dela. Homens armados, com capacetes, partiram para guerras. Trouxeram estandartes de Flodden e Poitiers que penduraram nas paredes. O longo salão se encheu assim e, ao olhar ainda mais longe, ela pensou divisar bem no final, além dos elizabetanos e dos Tudor, alguém mais velho, mais remoto, mais sombrio, uma figura de capuz, monástica, severa, um monge, que caminhava com as mãos juntas e um livro entre elas, murmurando...

    Como um trovão, o relógio do estábulo bateu quatro horas. Nunca nenhum terremoto demoliu assim uma cidade inteira. O corredor e todos os seus ocupantes reduziram-se a pó. O próprio rosto dela, que estivera escuro e sombrio enquanto olhava, iluminou-se como com uma explosão de pólvora. Nessa mesma luz, tudo perto dela apareceu com extrema nitidez. Ela viu duas moscas circulando e notou o brilho azul de seus corpos; viu um nó na madeira onde estava seu pé e o tremor da orelha do cachorro. Ao mesmo tempo, ouviu um ramo estalar no jardim, uma ovelha balir no parque, um rápido grito atravessar a janela. Seu próprio corpo estremeceu e se arrepiou como se de repente estivesse nua no gelo endurecido. No entanto, ela manteve, como não o fizera quando o relógio tocou dez horas em Londres, a mais completa compostura (porque estava agora una, inteira, e apresentava talvez uma superfície maior para o choque do tempo). Levantou-se, mas sem precipitação, chamou os cachorros e, com firmeza e movimentos muito alertas, desceu a escada e saiu para o jardim. Ali, as sombras das plantas estavam miraculosamente nítidas. Ela notou os grãos individuais da terra nos canteiros de flores como se tivesse um microscópio colado no olho. Viu o intrincado dos ramos de todas as árvores. Cada folha de grama era distinta e as marcas de veias e pétalas. Viu Stubbes, o jardineiro, que vinha pelo caminho, e cada botão de suas botinas era visível; viu Betty e Príncipe, os cavalos de tiro; nunca havia reparado com tanta clareza a estrela na testa de Betty e os três fios longos que desciam abaixo do resto do rabo de Prince. No quadrilátero do pátio, as velhas paredes cinzentas da casa pareciam uma fotografia nova raspada; ela ouviu um alto-falante condensando no terraço uma melodia de dança que as pessoas ouviam no veludo vermelho do teatro de ópera de Viena. Protegida e estimulada pelo momento presente, ela estava também estranhamente temerosa, como se cada vez que o golfo do tempo se abria e liberava um segundo, algum perigo desconhecido pudesse vir junto com ele. A tensão era muito implacável e rigorosa para ser suportada sem desconforto durante muito tempo. Ela andou mais depressa do que gostaria, como se suas pernas se movessem sozinhas, atravessou o jardim e entrou no parque. Ali, obrigou-se, com grande esforço, a parar na oficina do carpinteiro e ficar absolutamente imóvel observando Joe Stubbs fabricar uma roda de carroça. Estava parada, com os olhos fixos na mão dele, quando soou o quarto de hora, que a percorreu como um meteoro, tão quente que dedos não conseguiriam contê-lo. Viu com repunante vivacidade que o polegar da mão direita de Joe não tinha unha e havia um círculo de carne rosada onde devia estar a unha. A imagem era tão repulsiva que ela sentiu um desfalecimento, mas naquele momento de escuridão, quando suas pálpebras tremularam, sentiu-se aliviada da pressão do presente. Havia algo estranho na sombra que o tremular de seus olhos projetava, algo que (como qualquer um pode experimentar por si mesmo ao olhar para o céu agora) estava sempre ausente do presente (donde o seu terror, o seu caráter indefinível), algo cujo corpo estremecemos ao perfurar com um nome e chamamos beleza, pois não tem corpo, é uma sombra sem substância ou qualidade próprias, mas tem o poder de tranformar tudo aquilo a que se soma. Nesse momento, essa sombra, ao tremular em seu olho durante o desfalecimento na oficina do carpinteiro, saiu sorrateiramente e ligou-se às inúmeras visões que vinha recebendo, combinando-as em algo tolerável, compreensível. Sua mente começou a jogar como o mar. Sim, ela pensou com um profundo suspiro de alívio ao deixar a oficina do capinteiro para subir o morro, eu posso começar a viver de novo. Estou junto à Serpentine, pensou, o barquinho está subindo através do arco branco de mil mortes. Estou quase entendendo...

Essas foram suas palavras, ditas de forma bastante clara, mas não podemos esconder o fato de que ela agora era uma testemunha bem indiferente da verdade do que estava diante dela e poderia facilmente ter confundido uma ovelha com uma vaca, ou um velho chamado Smith com aquele que se chamava Jones, e não era absolutamente parente dele. Porque a sombra de desfalecimento que o polegar sem unha tinha lançado aprofundou-se, então, na parte de trás de seu cérebro (que é a parte mais distante da visão), numa piscina onde as coisas moram em escuridão tão profunda que mal sabemos o que são. Ela então olhou para essa piscina ou mar em que tudo se reflete; e, de fato, dizem que todas as nossas paixões mais violentas, a arte e a religião, são os reflexos que vemos na cavidade escura na parte de trás da cabeça, quando o visível mundo está obscurecido pelo tempo. Ela ficou olhando, longa, intensa, profundamente, e no mesmo instante o caminho de samambaias pelo qual subia o morro transformou-se não inteiramente num caminho, mas em parte na Serpentine; os arbustos de espinheiro eram em parte damas e cavalheiros sentados com caixas de cartões e bengalas com castão de ouro; as ovelhas eram em parte altas casas de Mayfair; tudo era em parte outra coisa, como se sua mente tivesse se transformado numa floresta com clareiras para cá e para lá; as coisas chegavam mais perto e mais longe, se misturavam e separavam, faziam as mais estranhas alianças e combinações em um incessante xadrez de luz e sombra. Exceto quando Canuto, o elkhound, perseguiu um coelho e, assim, a lembrou que deviam ser quase quatro e meia (na verdade, faltavam 23 minutos para as seis), ela perdera a noção do tempo.

O caminho de samambaias levava, com muitas voltas e curvas, mais e mais alto, ao carvalho que ficava no alto. A árvore tinha ficado maior, mais forte, mais nodosa desde que ela a conhecia, algo em torno do ano 1588, mas ainda estava no auge da vida. As folhinhas recortadas ainda densas nos galhos. Ela se deitou no chão e sentiu os ossos da árvore projetados como costelas de uma coluna vertebral para um lado e outro debaixo dela. Gostava de pensar que estava montada nas costas do mundo. Gostava de ligar-se a uma coisa dura. Ao se deitar, um pequeno livro encadernado em tecido vermelho caiu do bolso da jaqueta de couro: seu poema *O carvalho*. "Eu devia ter trazido uma pá", refletiu. A terra era tão rasa sobre as raízes que lhe pareceu difícil conseguir fazer o que queria e enterrar ali o seu livro. Além disso, os cachorros iriam desenterrá-lo. Essas celebrações simbólicas nunca contam com muita sorte, pensou ela. Talvez fosse melhor ficar sem elas. Tinha um pequeno discurso na ponta da língua que pretendia fazer enquanto enterrava o livro. (Era um exemplar da primeira edição, assinado pelo autor e pelo ilustrador.) "Enterro isto como um tributo", ela ia dizer, "devolvo à terra o que ela me deu", mas, nossa!, assim que pronunciadas em voz alta, como soavam tolas as palavras! Ela se lembrou do velho Greene em cima de um tablado, outro dia, quando a comparou a Milton (menos a cegueira dele) e lhe entregou um cheque de duzentos guinéus. Naquele momento, ela pensou no carvalho ali no morro e se perguntara o que tinha ele a ver com isto tudo. O que louvores e fama têm a ver com poesia? O que sete edições (o livro já tinha nada menos que sete) têm a ver com seu valor? Escrever poesia não era uma transação secreta, uma voz que responde a uma voz? De forma que todo aquele palavrório, louvores, culpa, conhecer pessoas que admiram você e conhecer pessoas que não admiram você era tão inadequado como podia ser com a coisa em si: uma voz que responde a uma voz. O que podia ser mais secreto, pensou ela, mais lento e parecido com o ato de amantes, do que a resposta titubeante que tinha dado todos esses anos à velha canção da floresta, das plantações, dos cavalos marrons à espera no portão lado a lado, do ferreiro, da cozinha, dos campos, produzindo tão laboriosamente trigo, nabos, pastos, e dos jardins floridos de íris e fritilárias?

Então ela deixou seu livro sem enterrar, desfolhado no chão, e olhou a vasta vista, variada como o fundo do oceano nessa tarde, com o sol brilhando sobre ela e as sombras a escurecê-la. Havia uma aldeia com uma torre de igreja entre os olmos; uma mansão cinzenta com cúpula num parque; uma faísca de luz a brilhar em alguma estufa; um pátio de fazenda com pilhas amarelas de grãos. Os campos marcados com tocos de árvore negros, além dos quais estendiam-se longas florestas, e havia o brilho de um rio, depois morros de novo. Ainda mais longe, os penhascos brancos de Snowdon irrompiam brancos contra as nuvens; ela viu as distantes montanhas escocesas e as marés selvagens que giram em torno das Hébridas. Ouviu o som de canhões no mar. Não... era só o vento que soprava. Não havia guerra hoje. Drake tinha morrido; Nelson tinha morrido. "E lá", pensou ela, e moveu os olhos até então perdidos na distância para a terra a seus pés, "era a minha terra: aquele castelo entre os baixios era meu; e todo aquele pântano que se estende quase até o mar era meu". Nesse momento, a paisagem (devia ser algum efeito da luz que morria) se sacudiu, se empilhou, deixou todos os estorvos de casas, castelos e florestas escorregarem pelas laterais em forma de tenda. As montanhas nuas da Turquia estavam diante dela. Era um meio-dia abrasador. Ela olhou diretamente para a encosta calcinada. Cabras pastavam nos tufos de areia no sopé. Uma águia pairou no alto. A voz rouca do velho Rustum, o cigano, soou em seus ouvidos: — O que é a sua antiguidade, a sua raça e as suas posses comparadas a isto aqui? Por que você precisa de quatrocentos quartos, tampas de prata em todos os seus pratos, criadas tirando o pó? Nesse momento, algum relógio de igreja soou no vale. A paisagem em forma de tenda desmoronou e caiu. O presente jorrou sobre sua cabeça outra vez, mas agora que a luz morria, mais suave do que antes, tornando visível nada detalhado, nada pequeno, apenas os campos enevoados, os chalés com luzes acesas, o volume adormecido de uma floresta, uma luz em forma de leque empurrou o escuro à sua frente ao longo de alguma alameda. Se haviam soado nove, dez ou onze horas ela não sabia dizer. A noite chegara, a noite que ela mais amava de todos os momentos, a noite na qual os reflexos na piscina escura da mente brilhavam com mais clareza que de dia. Agora não precisava desfalecer para olhar no fundo da escuridão onde as coisas tomam forma, e ver na piscina da mente ora Shakespeare, ora uma moça com calça russa, ora um barco de brinquedo na Serpentine, e depois o próprio Atlântico, tempestuoso em altas ondas além do Cabo Horn. Ela olhou a escuridão. Lá estava o brigue de seu marido, subindo na crista da onda! Subia, subia, subia. O arco branco de mil mortes se ergueu diante dele. Ah, homem rústico, ah, homem ridículo, sempre navegando, tão inutilmente, em torno do Cabo Horn nas presas de um tufão! Mas o brigue atravessara o arco e saíra do outro lado; estava a salvo afinal!

— Êxtase! — exclamou ela. — Êxtase! — E então o vento cessou, as águas se acalmaram e ela viu as ondas encrespadas pacificamente ao luar.

— Marmaduke Bonthrop Shelmerdine! — exclamou ela, de pé ao lado do carvalho.

O belo nome cintilante caiu do céu como uma pena azul-aço. Ela a olhou cair, girando e ondulando como uma flecha que cai devagar rompendo lindamente o ar profundo. Ele vinha vindo, como sempe vinha, em momentos de calma absoluta; quando a onda se encrespava e as folhas manchadas caíam devagar sobre seu pé na floresta de outono; quando o leopardo estava imóvel; a lua estava na água e nada se movia entre o céu e o mar. Então ele vinha.

Estava tudo quieto agora. Era quase meia-noite. A lua subira devagar sobre os campos. Sua luz ergueu um castelo-fantasma na terra. Lá está a grande casa com todas as suas janelas vestidas de prata. Não havia nada de parede ou solidez. Era tudo fantasma. Estava tudo quieto. Tudo iluminado como para a chegada de uma rainha morta. Orlando olhou para baixo e viu plumas escuras movimentadas no pátio, tochas piscando e sombras se ajoelhando. Uma rainha descia mais uma vez de sua carruagem.

– A casa está a seu serviço, senhora – exclamou ela, com uma profunda reverência. – Nada mudou. O falecido lorde, meu pai, fará a senhora entrar.

Ao dizer isso, soou o primeiro toque da meia-noite. A brisa fria do presente roçou seu rosto com seu pequeno alento de medo. Ela olhou ansiosamente para o céu. Estava escuro de nuvens agora. O vento rugiu em seus ouvidos. Mas no rugir do vento ela ouviu o rugir de aeroplano mais e mais próximo.

– Aqui! Shel, aqui! – gritou ela, desnudando o seio para a lua (que agora brilhava intensa), de forma que suas pérolas reluziam, como ovos e uma vasta aranha lunar. O aeroplano saiu das nuvens e parou acima de sua cabeça. Pairou acima dela. Suas pérolas queimavam como uma labareda fosforescente no escuro.

E quando Shelmerdine, agora um belo capitão do mar, vigoroso, com belas cores, alerta, saltou para o chão, sobre sua cabeça voou um único pássaro selvagem.

– É o ganso! – exclamou Orlando. – O ganso selvagem...

E soou o décimo segundo toque da meia-noite, o décimo segundo toque da meia-noite de quinta feira, 11 de outubro, 1928.

grupo novo século

Compartilhando propósitos e conectando pessoas
Visite nosso site e fique por dentro dos nossos lançamentos:
www.novoseculo.com.br

‹ns

- facebook/novoseculoeditora
- @novoseculoeditora
- @NovoSeculo
- novo século editora

gruponovoseculo.com.br

Edição: 1
Fonte: IBM Plex Serif